SPRINGEN EN ANDERE VERHALEN

Vertaald door Heleen ten Holt

Nadine Gordimer

• • •

SPRINGEN

en andere verhalen

1992 Uitgeverij Bert Bakker Amsterdam

De vertaalster ontving voor de vertaling een werkbeurs
van de Stichting Fonds voor de Letteren.

Oorspronkelijke titel *Jump and other stories*
Omslagontwerp Gerard Hadders HWD
Omslagillustratie *Jump* (gouache), Lin Jammet 1990
ISBN 90 351 1145 1

Voor Pascale en Paule Taramasco en Katherine Cassirer

SPRINGEN

• • •

Hij is zich bewust van zijn eigen aanwezigheid in de kamer, achter de deur van het appartement, aan het eind van een gang, binnen de ruimten van zijn bestemming die, op de plaats waar hij is binnengebracht, in goudkleurig mozaïek de naam HOTEL LEBUVU draagt. De enorme lobby, waar een gestrande, met plastic beklede bank en bijpassende fauteuils staan, de wachtende lift in zijn koker, die verdieping na verdieping stijgt langs lege gangen, oplichtende borden – CONFERENCE CENTER, TROPICANA BUFFET, THE MERMAID BAR – hij is zich ervan bewust dat dit alles uiteindelijk naar hem toe leidt, zoals in een film de camera via een reeks in elkaar overvloeiende beelden door de muren heen van vertrek naar vertrek beweegt om één enkele figuur te vinden, de held, de misdadiger. Hem.

'S Avonds staan de gordijnen open naar het donker. Als hij 's morgens opstaat, trekt hij ze dicht. Nu hangen ze te gloeien in de zon. De dag die probeert binnen te dringen. Maar hij zit er met zijn rug naar toe; hij is een echo in de klankkast van wat eens het hotel was.

De stoel staat voor het breedbeeldtelevisietoestel dat ze hier moeten hebben neergezet toen ze hadden besloten waar ze hem zouden onderbrengen. Niets in de kamer past bij het dure fineer van het apparaat: het vurehouten tafeltje met vier harde, met rood plastic beklede stoelen eromheen, de harige tweezitsbank, de formica zitting van de kruk, de gloeiende gordijnen met hun patroon van cirkels en vlekken die je ogen verblinden als flakkerende vlammen, waren waarschijnlijk het standaard meubilair voor een cliëntèle van reizigers die een nacht blijven slapen, met bier morsen en sigaretten uittrappen onder hun hak. Het zilverige gebolde tv-scherm weerspiegelt de vage ballonvorm van een gezicht, bleek en vol. Afwezig strijkt hij met zijn hand over zijn wang en zijn kin, maar er is geen baard: het is echt zo, hij heeft hem afgeschoren. En ze hebben hem geld gegeven om de kleren aan te schaffen die hij nu draagt. De baard (die donker en weelderig was in tegenstelling tot zijn fijne hoofdhaar) en het camouflagepak, de broekspijpen in de schachten van laarzen die bij iedere stap met gezag op de vloer tikten, de baret met leren binnenrand: hij had ze allemaal afgelegd, zich ervan ontdaan. Ziezo! Ze moesten hem geloven, ze geloofden hem. Het gezicht, bleek en spits toelopend naar de bleke kin: zijn verborgen persoonlijkheid voor hen ontbloot. Als hij opkijkt, is het daar, op het lege scherm.

Behalve de breedbeeldtelevisie hebben ze hem ook een goede cassettespeler gegeven. Hij staat zo hard aan dat het geluid de kamer vult, tegendruk geeft aan de dag die tegen de gordijnen duwt: de muziek van een film over een Amerikaanse soldaat die zijn menselijkheid verliest door de wreedheden die hij in Vietnam moet begaan. Hij heeft de film lang geleden gezien, kan hem zich niet meer goed herinneren, ziet de beelden niet voor zich. Hij luistert niet: het aanzwellende rumoer, het gekletter van de strijd, het geschetter van de roem, de akkoorden van de vastberadenheid, de sentimentele strijkmuziek van de wroeging, de met afkeer gevulde stiltes – ze spelen zich allemaal af in hem zelf. Ze komen uit hem stromen en hij blijft maar zitten en kijkt niet naar het op het scherm uitgesmeerde beeld. Nu en dan ziet hij zijn hand. Die heeft nooit bij de baard, het camouflagepak, de baret, de bevelen die hij ermee ondertekende, gepast. Het is een slanke, witte, onbehaarde hand, de huid bijna doorzichtig boven broze botten, zoals je het skelet van een gekko kunt zien onder zijn spookachtige huid. De knokkels zijn zachtroze – schone, schone hand, geschrobd en geschrobd – maar langs de V tussen wijs- en middelvinger zit de poepbruine nicotinevlek van de brandende sigaret. Ze waren bereid buitenlands geld voor hem uit te geven. Ze voorzien hem nog steeds op de een of andere manier van het geïmporteerde merk dat hij het liefst rookt; er ligt een royale voorraad pakjes binnen handbereik, opgestapeld in hun cellofaan. Hij kan het nummer van de roomservice draaien, zoals aangegeven op de telefoon die op de vloer staat, en na lang wachten komt er dan iemand koud bier brengen. In het begin boden ze hem whisky aan, alles wat hij maar wilde, en hij had het besteld, hoewel hij nooit een man was geweest die sterke drank gebruikt, en hij er in zijn beroep voor gekozen had liever gerespecteerd te worden als een man met superieure zelfdiscipline dan bewonderd als rokende, drinkende snoever. De whisky komt niet meer: als hij een fles bestelt zeggen ze niets, maar het wordt niet gebracht.

Alsof dat er iets toe deed.

Onder het lawaai van de muziek heerst de stilte. Niemand zegt iets over het huis: het was de afspraak dat hij een huis zou krijgen, ze hadden hem te verstaan gegeven dat het een van die mooie huizen zou zijn die de kolonisten toen ze vluchtten hadden achtergelaten en die in naam van het volk door de staat waren opgeëist. Een huis met een tuin en een bewaker om zijn privacy, zijn veiligheid (in deze omstandigheden) te garanderen, een van die huizen waar hij vaak langs was gereden toen hij nog een schooljongen was, de zoon van een Britse ambtenaar die hier in een minder rijke, blanke wijk had gewoond. Een huis en een auto. Na verloop van tijd een behoorlijke betrekking. Gerehabiliteerd. Zijn gedachten gingen uit naar informatica, public relations (met zijn internationale ervaring); het was nog te vroeg om te beslissen, maar ze zeiden geen nee.

Alles wat hij maar wilde: dat zou zijn beloning zijn. De televisieploegen kwamen – niet alleen de prullige Afrikaanse omroepen, maar de BBC, CBS, Antenne 2, ZDF – en er kwamen vliegtuigen vol buitenlandse correspondenten met hun taperecorders. Hij verscheen op persconferenties in het gezelschap van de opperbevelhebber van het leger, de minister van defensie en hun assistenten, die even elegant waren als in de tijd van het verdreven koloniale bewind. Een bloemstuk tussen de karaffen met water. Hij zelf, prijkend in de kleren die ze hem hadden gegeven; zijn dijen, die in het camouflagepak indrukwekkend hadden geleken, nu iets te vlezig als hij ze over elkaar sloeg in de licht glimmende broek van tropenstof, zijn kin wit, zacht en bloot nu de baard weg was, zijn haar netjes geknipt en glad gekamd, met een bruinige pony boven het voorhoofd, de nek met de tondeuse bewerkt: op de krantefoto's zag hij boven zijn grote in elkaar gedoken lichaam het hoofd van een jongetje met ronde verbaasde ogen onder fronsend opgetrokken wenkbrauwen. Hij vertelde zijn verhaal. Gedurende de eerste maanden vertelde hij zijn verhaal telkens opnieuw tijdens zijn optredens. Nu heeft iedereen het gehoord. Op de tafel met de vier aangeschoven stoelen wacht een koud geworden spiegelei op een bord dat is afgedekt met een tweede bord. Een kan heet water is lauw geworden naast een blikje oploskoffie. Iemand heeft die dingen gebracht en is weer weggegaan. Iedereen is weggegaan. De luide golvende muziek in de kamer is de begeleiding die hij bij zijn optredens nooit heeft gehad. Als het bandje afgelopen is, drukt hij op de knop om het terug te spoelen en opnieuw af te draaien.

Ze praten nooit over het huis of de auto en hij weet niet hoe hij het onderwerp ter sprake moet brengen – ze komen bijna nooit meer bij hem, maar misschien is dat vanzelfsprekend, want hij heeft hun alles wat hij weet verteld: ze zijn tevreden. Hij heeft de televisieploegen en de pers niets meer te melden. Hij kan niets meer bedenken – zoek in je geheugen! zoek in je geheugen! – dat hij zou kunnen zeggen. Hij heeft hun verteld over zijn kindertijd hier in de hoofdstad van het land waarheen hij is teruggebracht. Dat hij een normaal kind van kolonisten was, van ouders die uit Europa waren gekomen om een beter leven te zoeken in een land waar het warm was en waar meer mogelijkheden waren. Dat het er inderdaad warm was en dat je er de zee had en tropische vruchten, zwarten om te graven en te sjouwen, maar dat de mogelijkheden beperkt bleven tot de vaste baan van een blanke in de lagere echelons van het ambtenarenapparaat. Voor politiek hadden zijn ouders zich nooit geïnteresseerd. De zwarten interesseerden hen ook niet. Ze geloofden niet dat de zwarten ooit invloed zouden hebben op hun en zijn leven. Toen de koloniale oorlog begon, was dat ver weg in het noorden; er kwamen troepen uit het moederland om er een eind aan te maken. De jongen zou misschien accountant kunnen worden, in elk geval een stapje hoger op de ladder dan zijn vader, want iedere generatie moest zijn omstandigheden verbeteren, zoals zij zelf hadden gedaan door te emigreren. Als opgroeiende jongen nam hij als vanzelfsprekend deel aan de activiteiten en mogelijkheden tot avontuur waar in de werkelijkheid van het leven van de zwarten, de oorlog van de zwarten, geen plaats voor was: als puber zocht hij aansluiting bij zijn leeftijdgenoten door lid te worden van de parachuteclub, en hij sprong: de overgangsrite naar de volwassenheid.

In de hoofdstad werd het doel van de revolutie in één klap bereikt toen de Europeanen, gedwongen door de inheemse bevolking na jaren van oorlog in het achterland, de macht overdroegen. Er werden een paar standbeelden omvergehaald op het plein van de hoofdstad en een paar winkels geplunderd uit wraak voor uitbuiting. Zijn ouders meenden geen gevaar te lopen omdat, althans in het begin, bepaalde dingen die zij belangrijk vonden normaal bleven doorgaan: het huisvuil werd nog steeds twee keer in de week opgehaald en er was vis te koop op de markt. Het was onwaarschijnlijk dat er iets in hun bescheiden leven zou veranderen doordat de zwarten nu aan de macht waren. Hij volgde toen een opleiding als tekenaar bij een architect (een beroep met meer prestige dan dat van accountant) en in de weekends deed hij naast parachutespringen aan fotograferen. Hij verdiende zelfs een zakcentje door grappige foto's van dieren en vogels aan een plaatselijke krant te verkopen. Toen kwam de gebeurtenis die – ineens, opgerold zoals de cassetteband die de linker cilinder vult tijdens het terugspoelen – de ervaring die alles verklaarde dat hij sindsdien had gedaan, alles dat hij later zou bekennen, alles waarvan hij zichzelf zou beschuldigen en waarvoor hij zichzelf zou veroordelen tijdens zijn optredens voor de journalisten onder het goedkeurend oog van de opperbevelhebber en de minister van defensie, tijdens de diepgravende verhoren, de vraaggesprekken; en ook elke keer dat hij in de vurige schemering achter de gloeiende sintels van de gordijnen zat met zijn gezicht naar het visseoog van de televisie gekeerd, omspoeld door de muziek, alleen. Hij had een foto genomen van een zeevogel die neerstreek op een soort toren. Soldaten bedreigden hem met machinegeweren met afgezaagde lopen, grepen hem vast, vernielden zijn camera en brachten hem naar de politie. Hij werd vijf weken vastgehouden in een smerige cel die het koloniale bewind voor zwarten had gebruikt. Tegen zijn ouders zeiden ze dat hij een imperialistische spion was – hun onschuldige jongen, nog maar twee jaar van school! Natuurlijk, het gebeurde allemaal in de verwarring van de eerste dagen na de bevrijding (zou hij zijn toehoorders uitleggen), het was te verwachten. Trouwens, wat verbeeldde die jongen zich wel, dacht hij soms dat hij alles maar kon fotograferen, een militaire installatie die van belang kon zijn voor de vijanden van de nieuwe staat? Die blanke jongen.

Op dit punt van zijn verhaal gekomen, bekende hij dat hij toen pas voor het eerst in zijn leven had nagedacht over de zwarten – en hen haatte. Ze hadden zijn camera vernield en hem opgesloten als een zwarte en hij haatte hen en hun regering en alles, goed of slecht, wat ze konden doen. Nee – hij had toentertijd niet geloofd dat ze ooit iets goeds konden doen voor het land waar hij was geboren. Hij werd benaderd door de blanken, of misschien benaderde hij hen – ze dwongen hem niet duidelijkheid te verschaffen over dit punt – de mensen tot wie zijn ouders zich, met het gewenste resultaat, hadden gewend om hem vrij te krijgen. Ze paaiden hem met hun verontwaardiging over wat er met hem was gebeurd en boden hem een vervanging voor de kameraadschap van de parachuteclub (gesloten door de militaire veiligheidsdienst van de zwarten) in hun geheime organisatie die de blanke macht wilde herstellen door middel van gewillige zwarte stromannen. Hoe dit moest gebeuren stond hun nog niet duidelijk voor ogen, er waren nog geen bondgenoten geworven in naburige koude en hete oorlogen, er was nog geen geld binnengekomen van internationale belanghebbenden die toegang wilden tot olie en delfstoffen, er moest nog worden gezocht naar leveranciers van materieel en huurlingen om een opstandelingenleger in de bush uit te rusten. Hij zat rustig over zijn tekentafel gebogen en 's avonds bezocht hij geheime bijeenkomsten. Hij voelde zich gewichtig, een patriot; dat was iets nieuws, want zijn ouders hadden hun geboorteland verlaten en dit land, waar hij was geboren, was door de zwarten teruggeëist. Zijn ouders dankten God dat hij in veilige en goede handen was, van blanken zoals zij zelf, maar dan welgesteld, mensen die wisten wat je moest doen om hier in dit warme land te kunnen blijven wonen en op wie je kon vertrouwen dat ze je zouden waarschuwen als het tijd zou worden om te vertrekken. Ze waren trots toen ze hoorden dat hun zoon naar Europa zou worden uitgezonden om te studeren, een filantropisch gebaar van landgenoten uit het land waaruit ze eens allemaal naar hier waren geëmigreerd.

Hoewel van nederige afkomst, deelde hij nu in het erfgoed van de contrarevolutie.

De telefoon dient niet alleen als huistelefoon om de bediende – een oude zwarte man, klein en verschrompeld in te wijde kaki – te ontbieden, die het bier brengt, het ei heeft gebracht en afgedekt met een tweede bord. Hij kan ook iedere dag naar het buitenland bellen als hij wil. Er komt nooit een rekening, zij betalen. Dat hoorde bij de overeenkomst: zij zouden voor alles zorgen. Dus belt hij om de twee dagen zijn moeder in de Europese stad waarheen zij en zijn vader zijn teruggekeerd, toen de mensen die dat soort dingen wisten zeiden dat het tijd was om te gaan. Hij hoeft alleen maar het nummer te draaien, het is daar nu winter, en de telefoon zal gaan rinkelen op het gehaakte kleedje in de zitkamer achter de dubbele beglazing, die hem was getoond (hier kwamen zijn ouders dus vandaan!), toen hij in diezelfde Europese stad werd gestationeerd. Ze moesten al snel hebben begrepen dat hij niet studeerde, althans niet in de betekenis die zij daaraan zouden verbinden: een instituut bezoeken en je bekwamen voor een beroep waar je een naam aan kon geven. Maar ze zagen wel dat het goed met hem ging, dat ze een hoge dunk van de jongen hadden, de mensen die zijn gaven hadden onderkend en zich over hem hadden ontfermd na die verschrikkelijke tijd, toen de zwarten hem in de gevangenis hadden geworpen daarginds waar ze alles waren kwijtgeraakt: het ambtenarenpensioen, de mango's en het passiefruit, de zon. Hij was betrokken bij de zaken van die welgestelde mensen, internationale transacties, te ingewikkeld om ze aan hen te kunnen uitleggen. En te vertrouwelijk. Dat respecteerden ze. Ouders moeten nooit iets doen dat de kansen die zij zelf niet aan hun kind hebben kunnen bieden in gevaar zou kunnen brengen. Hij was altijd op weg van of naar het vliegveld – Frankrijk, Duitsland, Zwitserland en andere bestemmingen, die hij niet met name noemde. Zijn aanleg voor talen moet uiteraard van onschatbare waarde zijn geweest voor de mensen voor wie, of liever met wie – dat was duidelijk zijn status – hij werkte. Hij woonde niet in een flat maar in een heel huis dat ze voor hem hadden gekocht, in de beslotenheid van een van de beste wijken van de stad, en zijn werkkamer of kantoor stond niet alleen vol boeken en documenten, maar was ook uitgerust met de modernste telecommunicatie-apparatuur. Er kwamen buitenlandse zakenrelaties logeren; hij had een dienstmeisje voor dag en nacht. Zijn fijngevormde jongenskin maakte plaats voor het zachte vlees van een goed leven; en toen liet hij zijn baard staan, die donker en stevig was en hem het aanzien gaf van iemand met macht. Ze hadden hem nooit in zijn andere attributen gezien: het wijde camouflagepak met de laarzen en de baret. Hij bezocht hen in de burgerkleding die zijn vermomming was geworden.

De eerste keer dat hij ooit de telefoon op de vloer had gebruikt, had hij háár gebeld, zijn moeder, om haar te vertellen dat hij leefde, dat hij hier was. Wáár? Hoe had ze dat ooit kunnen vermoeden – terug, terug in dit land! De zon, de mango's (die dag had er fruit op tafel gestaan waar nu het ei ligt te stollen), de gevangenis waar ze een jonge jongen in hadden opgesloten alsof hij een zwarte was. Ze huilde, omdat zij en zijn vader hadden gedacht dat hij dood was. Hij was twee maanden tevoren verdwenen. Zonder een woord: dat was een van de voorwaarden waar hij zich van zijn kant aan had gehouden, hij kon zijn ouders niet vertellen dat dit geen zakenreis was waarvan hij zou terugkomen: hij gaf alles op, het huis, het dienstmeisje, de eersteklas vliegtickets, de belangrijke gasten, de kamer met de wanden vol boeken en het telecommunicatiesysteem dat werd gebruikt om plannen te smeden om treinen op te blazen, wegen te ondermijnen en slapende dorpelingen te vermoorden, ginds waar hij was geboren.

Vandaag moet hij haar weer bellen. Het wordt steeds moeilijker telkens weer aan die verplichting te voldoen. Hij heeft ook haar niets meer te melden. Na de tranen van dankbaarheid dat hij nog leefde, is ze, na verloop van tijd, de vraag gaan stellen waarom zíj zo gestraft moest worden, waarom hij betrokken was geraakt bij iets dat zo slecht was afgelopen.

Over de telefoon zegt ze: is alles goed met je?

Hij vraagt naar de gezondheid van zijn vader. Denkt ze dat het een zachte winter zal worden?

Ze heeft al een beetje last van reumatiek, door de wind uit de bergen.

Heb je iets nodig? (Hij krijgt geld om aan zijn ouders te sturen, die nu hun pensioen moeten missen; dat hoort ook bij de overeenkomst.)

Dan valt er niets meer te zeggen. Ze vraagt niet of hij last heeft van de hitte daar, hoewel de zon zijn hitte opslaat in de gesloten gordijnen, hoewel ze heel goed weet hoe het daar is in de zomer – en hij is zeven jaar weggeweest, hij is niet meer aan het klimaat gewend. Ze wil niet over de hitte praten, omdat ze daarmee zou toegeven dat hij daar weer is. Zij en zijn vader zullen nooit begrijpen wat het allemaal inhield, zijn leven: waarom hij in dat mooie huis kon wonen met het telecommunicatiesysteem, de internationale contacten, of waarom hij dat allemaal heeft opgegeven. Ze zegt weinig door de telefoon en haar stem klinkt lusteloos. Maar ze schrijft. Haar brieven worden bezorgd, ze worden onder de deur door geschoven. *Waarom straft God mij zo? Wat hebben je vader en ik misdaan? Het is allemaal lang geleden begonnen. We zijn te toegeeflijk geweest. Die onzin van dat parachutespringen. Dat hadden we nooit goed moeten vinden. We hadden niet moeten toestaan dat je je met die jongens afgaf. Toen is het begonnen, we hadden moeten voorzien dat je ons leven zou ruïneren, al weet ik niet waarom. Jij moest zo nodig hoog uit de lucht naar beneden springen. Weet je wel hoe ìk me voelde toen ik je zo zag vallen? Jij had plezier, maar wij waren doodsbang terwijl jij met je leven speelde. We hadden het moeten weten. Waar het op uit zou lopen. Waarom moest je zo zijn? Waarom? Waarom?*

Eerst gedurende de weken van de verhoren en daarna tijdens de persconferenties moest hij het uitleggen.

Ze vroegen het telkens weer. Daar hadden ze het recht toe.

Hoe kon je je afgeven met die bende moordenaars, die ziekenhuizen in brand steekt, dorpsbewoners hun oren afsnijdt, treinen opblaast met onschuldige arbeiders die op weg zijn naar huis, naar hun hutten, kinderen verkracht, met getrokken pistool vrouwen dwingt hun man te doden en zijn vlees te eten.

Hij zat voor hen, bij zijn volle verstand, en werd geconfronteerd met de waanzin. Zoals hij in het sombere rode schijnsel voor de breedbeeldtelevisie zit met een brandende sigaret tussen de vingers van zijn fijngevormde witte hand, en heldere lichtblauwe ogen onder zijn jonge-hondewenkbrauwen. Huiverend: ze konden het niet zien, maar elke keer dat hij ze die dingen, die hij allemaal wist, hoorde opsommen – huiverde hij inwendig. Hoe konden ze het over hun lippen krijgen, zo maar alsof het niets was?

Omdat afgrijzen langzaam ontstaat. In de loop van weken en maanden doorsijpelt, toeneemt, groeit, golft, aanzwelt via de gefaxte operatiecodes, de triomf over heimelijk beklonken wapenleveranties van landen die dergelijke transacties in het openbaar veroordelen, via het woord 'destabilisatie', dat het beeld oproept van een gebrekkig werkend mechanisme dat van zijn voetstuk moet worden gestoten, zodat het kan worden vervangen door een gezonde constructie. Híj verstuurde de fax, híj nam het vliegtuig om de steun te werven van multinationals die toegang wilden krijgen tot hun olie en mineralen, die de zwarten aan hun concurrenten gaven, hij lobbyde bij de ministers van buitenlandse zaken in landen waar men belang had bij die andere term: invloedssferen.

In het mooie huis, waar een antieke klok een wijsje speelde terwijl het communicatiesysteem plotseling begon te ratelen, betekende oorlog informatie, het wonder dat je de stem van een generaal hoorde, die duizenden kilometers van je vandaan in dat andere werelddeel in de bush zat. Als hij voor zijn missies door Europa reisde, was hij zelf die vechtjas: de baard, het camouflagepak, de baret. In de ogen van de mensen die hij bezocht vertegenwoordigde hij het alom aanwezige slagveld van Rechts en Links; de uitrusting veranderde hem in zijn eigen ogen, zodat het leek of hij was opgestaan uit die universele bestemming die bekend staat als het slagveld.

Wilt u beweren dat u het niet wist?

Maar niemand praatte er ooit over. Een operatie slaagde of slaagde niet. Er werd een vlaggetje verplaatst op de kaart. De eigen verliezen en de verliezen die aan de regering waren toegebracht werden opgetekend. Er waren enkele tegenslagen. Een groots opgezette luchtbrug om voorraden en materieel aan te voeren vanuit de naburige Afrikaanse staat die de zaak van de destabilisatie steunde, had succes; de rebellen zouden jaren doorvechten, zouden dorp na dorp, brug na brug, elektriciteitscentrales en strategisch belangrijke wegen op de kaart veroveren. De rechtvaardige zaak zou winnen.

Niemand vertelde je hoe het in zijn werk ging. De zwarte regering verspreidde berichten over bloedbaden, omdat ze aan het verliezen was, en de linkse en liberale pers namen die verhalen uiteraard over. De inlichtingendienst: afgestemd op de klok met de vergulde cupido's borg hij zulke berichten op in het archief, onder desinformatie over de destabilisatie.

Op dit punt wachtten ze altijd tot hij verder zou gaan. Hij slikte voor elke zin en terwijl hij sprak, keken ze toe hoe hij slikte. Hij kan het koude ei niet door zijn keel krijgen. Een smal lint van kleine miertjes klimt zes verdiepingen omhoog, door de lege foyer en de gesloten ontvangstzalen, en vindt zijn weg langs de tafelpoot naar voedsel dat daar is blijven staan; dat weet hij. Hij praat en praat – nu er niemand meer komt luisteren, vertelt hij het verhaal telkens opnieuw aan zichzelf – slikt, terwijl de mieren gestaag naderen. Ga door, ga door.

Ik kwam er pas achter toen ik naar dat naburige land ging – het is een blank land en heel modern – dat het materieel, de vliegtuigen leverde en waar de informatie vandaan kwam die agenten doorseinden aan het communicatiecentrum dat men voor ons in dat huis in Europa had ingericht. Er was daar ook een basis.

Ga door.

Een opleidingskamp voor onze mensen. Het was geheim, niemand wist dat het er was. Verborgen in een wildreservaat. Ik was verheugd en vol zelfvertrouwen toen ik niet meer alleen opdracht kreeg naar allerlei Europese landen te reizen, maar ook naar dàt land werd uitgestuurd. Als verbindingsman. Om de commandant van de nationale veiligheidstroepen en de geheime dienst daar te ontmoeten. Met eigen ogen te zien hoe intensief en belangrijk onze samenwerking was dank zij onze gemeenschappelijke toewijding aan de strijd. Thuis rapport uit te brengen over het moreel van onze mannen, die daar werden getraind in het gebruik van moderne wapens en strategie.

Ja?

Uit de luidspreker die bij het cassettedeck is geleverd klinkt een daverend crescendo: om de oorlog te winnen, te stabiliseren door destabilisatie, een regime te installeren dat vrede en rechtvaardigheid zal brengen!

Tijdens de persconferenties brak elke keer dat hij op dit punt van het verhaal aankwam het zweet hem uit. De ogen die hem aanstaarden trokken het uit zijn weefsels omhoog als een blaar. En toen?

Er is niemand in de kamer, de gordijnen sluiten iedereen buiten. Slik. Ik zag hoe de mannelijke vluchtelingen die bij de grens waren opgepakt, half verhongerd werden binnengebracht. Ik zag hoe men hen behandelde: ze werden gedwongen zich bij onze troepen aan te sluiten of teruggejaagd over de grens om te sterven. Ik zag aan hen dat ze zouden sterven. Hun dorpen afgebrand, hun gezinnen afgeslacht – je zag aan hun gezichten en hun lichamen dat het allemaal werkelijk gebeurde... de desinformatie. In het opleidingskamp werd er niet over gepraat. Onze bondgenoten aan hun diners – wildbraad en wijn, van alles het beste, je werd behandeld als een VIP – praatten nooit over zulke dingen. Nou... ik werd rondgeleid... kreeg alles te zien. Het geheime radiostation dat de Stem van onze organisatie uitzond. De nieuwste wapens die ze ons ter beschikking hadden gesteld. De laarzen en uniformen die in hun fabrieken werden gemaakt. (De uitrusting die ik droeg moet daar ook vandaan zijn gekomen.) De vliegtuigen die 's nachts opstegen om onze mensen te transporteren, gewapend en uitgerust om datgene te doen waarvoor ze waren opgeleid. Ik wist nu wat dat was.

Ja?

Het was natuurlijk oorlog.

Dus?

...Oorlog is niet mooi. Er zijn wreedheden aan beide kanten. Dat moest ik begrijpen. Dat probeerde ik ook. Maar de vliegtuigen kwamen ook terug over de grens, in de nacht. Niet leeg. Ik dacht dat ze kinderen van vluchtelingen bij zich hadden, die ze in veiligheid brachten buiten de gevechtszone; meisjes van twaalf, dertien, doodsbang, ze moesten hen van elkaar los rukken en dwingen te lopen. Ze waren bestemd voor de mannen die daar hun militaire opleiding kregen. Mannen die lange tijd geen vrouw hadden gehad. Om hen te gerieven. De commandant bood me er na het eten eentje aan. Hij liet er een voor zichzelf binnenbrengen. Trok haar kleren uit om haar aan me te laten zien.

Dus, ja, ik wist wat er met die meisjes gebeurde. Ik wist wat ons leger was geworden – misschien altijd al was geweest – ja, zoals u zegt, een bende moordenaars die ziekenhuizen in brand stak, dorpelingen hun oren afsneed, verkrachtte, treinen vol arbeiders opblies. Verwoesting bracht over het land waar ik geboren ben. Je kunt het zien, dat land, alleen de gloeiende gordijnen houden het buiten. 's Nachts als de gordijnen open zijn, is het er nog steeds, in het donker, in de blinde vormen van gebouwen, de resten van vernielde boulevards en vervallen pleinen, die zich aftekenen in het licht van zwakke lampen. Het is me vertrouwd, ik kan niet zeggen dat ik het niet ken, ik kan niet zeggen dat het mij niet herkent. Het is er als de zon op de ruiten drukt: een verpauperde bevolking, die op straat leeft, kampeert in appartementen waar vroeger wij – de blanken – woonden, zonder elektriciteit, zonder water in de betegelde badkamers, zonder glas in de ramen; en op de mooie balkons met uitzicht op zee, waar wij vroeger ons aperitief dronken, branden van die kleine open vuurtjes waar ze hun schaarse voedsel op koken.

En dat is het eind.

Maar het wordt eindeloos herhaald. Alleen de cassetteband heeft een eind. Het valt niet uit te leggen hoe iemand werkelijk alles begint door te krijgen. In plaats van inlichtingen door te krijgen via fax en satelliet.

Ginds in die kamer in Europa met zijn telecommunicatiesysteem werd bijgehouden waar de delegaties van het zwarte regime zich in het buitenland bevonden. Op een dag ging hij erheen. In het tenue van het rebellenleger, met zijn baard, zodat ze hem konden doodschieten als ze wilden, opdat ze zouden beseffen wie hij was en wat hij wist. Niet over de wreedheden. Andere dingen: alles wat hij hun kon geven om zijn kennis over de wreedheden uit te wissen: volledige informatie over het rebellenleger, hun leiders, hun interne vetes, hun bondgenoten, door wie ze werden bevoorraad, de exacte positie en functie van hun geheime bases. Alles. Alles wat hij was en was geweest, vanaf de parachutesprong en de foto van de toren. Ze schoten hem niet dood. Ze stelden hem onder bewaking, opdat de mensen van het telecommunicatiehoofdkwartier in de kamer met de antieke klok hem niet zouden doden voor hij alles kon vertellen. Ze gingen voorzichtig met hem om: hij zelf een zeldzame vreemde diersoort, gevangen gehouden om te bestuderen. Ze kenden zijn waarde, voor hen.

De ondervraging is een soort destabilisatie, het woord zegt niets over de methode en de ervaring. Dag in dag uit, ontdaan van de laarzen, het camouflagepak, de baret en de baard, de eersteklas vliegreizen, het huis in Europa, de etentjes te zijner ere, het prestige van het inlichtingencentrum – zijn leven. Daaronder wordt hij zelf onthuld, roerloos op een stoel in een donkere kamer, met alleen een kloppende ader in zijn volle blote hals. In de stilte nadat de band is afgelopen, kun je je verbeelden dat je duidelijk het geluid hoort van doelbewust oprukkende mieren.

Ze wisten dat ze het niet voor niets konden krijgen – zijn leven. Het huis met de tuin dat deel uitmaakte van de overeenkomst had hij niet gekregen. Evenmin als de auto. Hij kan natuurlijk uitgaan. Hij kan gaan en staan waar hij wil, het was alleen gedurende het eerste halfjaar dat zijn bewegingsvrijheid werd beperkt. Nu ze weten dat ze hem kunnen vertrouwen, hebben ze geen belangstelling meer voor hem. Hij kan hun niets meer onthullen. Wat voor nut heeft hij nog voor hen, nu hij alles heeft verteld, nu ze hem aan iedereen hebben vertoond?

Ze hebben gelijk. Misschien ziet hij ze nooit meer terug.

Het meisje komt uit de slaapkamer. Ze staat laat op.

Er is een meisje. Ze is niet door hen gestuurd. Of misschien toch: ze zat in de wachtkamer toen hij onder geleide naar de dokter ging. Hij had haar beleefd eerst naar binnen laten gaan, en toen ze de spreekkamer uit kwam, waren ze in gesprek geraakt. Ik weet niet hoe ik ooit dat dieet zal kunnen volgen, zei ze, je kunt niets krijgen als je geen buitenlands geld hebt – je weet hoe het is als je hier woont.

Ja, voor het eerst besefte hij dat het waar was: hij woont hier. Misschien zou hij voor haar kunnen krijgen wat ze nodig had? Ze stelde geen vragen: hoe iemand aan buitenlands geld komt, is geen geschikt onderwerp van gesprek.

Het meisje heeft de hele ochtend in de slaapkamer doorgebracht, net alsof er niemand was. Nu, in de schemerige kamer, blijft ze even loom, er is geen verschil tussen dag en nacht. Roze voeten met hamertenen sloffen over de vloer, ze maakt smakkende geluidjes met haar tong tegen haar verhemelte. Ze zuigt lucht naar binnen, houdt die vast, ademt dan uit, omdat hij niets zegt.

Je wilt dus niet eten?

Ze heeft het tweede bord opgetild en drukt met haar wijsvinger op het heuveltje van de dooier. Het gestolde oppervlak deukt glimmend een beetje in. Ze veegt haar vinger af aan het T-shirt dat ze als nachtpon gebruikt. Een stekje van een kamerplant dat ze een keer heeft meegebracht en in een glas gezet, staat nog op precies dezelfde plek waar ze het heeft neergezet op tafel. Het heeft in de schemerige kamer een dun, zwevend worteldraadje geproduceerd in het troebele water. Mieren aarzelen op de rand van het glas. Hij ruikt de vage karnemelklucht van haar vocht en zijn sperma terwijl ze zich bukt om het spoor van de mieren vanaf de vloer te volgen. Toen hij de vorige avond met haar klaar was, zei ze: je houdt niet van me.

Hij moest plotseling denken aan het twaalfjarige meisje en de commandant.

Toen hoorde ze iets ongelooflijks: de man huilde. Ze trok zich angstig en vol afkeer terug naar de rand van het bed.

Ze blijft achter hem rondhangen in de kamer vanmorgen. Ze weet dat hij niets zal zeggen.

Weet je wat, laten we naar het strand gaan. Laten we gaan zwemmen. Ik heb geweldige trek in garnalen. We kunnen de bus nemen. Ik weet een goed plekje... het is goedkoop. Lijkt het jou niet lekker om te gaan zwemmen? Ik kan niet wachten tot ik in het water ben... kom op.

Ze wacht geduldig.

Heeft hij zijn hoofd geschud? Er was een lichte beweging. Er is niets in de kamer dat ze als excuus kan gebruiken om te blijven, af te wachten of hij haar vergeving, haar nederige inzicht in haar functie accepteert. Na een paar minuten gaat ze terug naar de slaapkamer en komt er aangekleed weer uit.

Ik ga. (Expliceert:) Ik ga zwemmen.

Deze keer knikt hij en leunt naar voren om een sigaret te pakken.

Ze heeft de deur nog niet opengemaakt. Ze aarzelt, alsof ze denkt dat ze een gebaar zou moeten maken, maar niet weet welk, misschien naar hem toe gaan en over zijn haar aaien.

Ze is weg.

Nadat de rook die hij heeft geïnhaleerd één is geworden met zijn adem en zijn lichaam, staat hij op en loopt naar het raam. Hij trekt de gordijnen links en rechts naar opzij. Ze zijn uitgedroogd en verschoten, opgebrand. En nu is hij zichtbaar: daar is de felle blik van de verpauperde stad, een binnenste buiten gekeerde stad die geen beschutting biedt aan het leven, de oude mannen die tegen gevels geleund zitten te sterven, de verweesde kinderen die in roedels de vuilstortplaatsen afstropen, de mannen zonder oren, de vrouwen met een stompje waar hun arm was, hun geroep stijgt naar hem op, stijgt zes verdiepingen omhoog in de zon. Hij kan niet naar buiten gaan, omdat ze daar overal om hem heen zijn, de mensen.

Springen. De verdovende klap van de aarde, die omhoog komt naar je gebogen knieën, terwijl de parachute met een geritsel van zijde neerzijgt.

Hij blijft even staan en stapt dan achteruit, de kamer in.

Nu niet. Nog niet.

ER WAS EENS

• • •

Ik heb een brief ontvangen waarin iemand me vraagt een bijdrage te leveren aan een bloemlezing van verhalen voor kinderen. Ik antwoord dat ik geen kinderverhalen schrijf en hij schrijft terug dat een bepaalde romanschrijver op een onlangs gehouden congres/boekenbeurs/seminar heeft gezegd dat elke schrijver ten minste één verhaal voor kinderen zou moeten schrijven. Ik denk erover een briefkaart te sturen met de boodschap dat ik niet accepteer dat ik wat dan ook 'zou moeten' schrijven.

Maar toen, vannacht, werd ik wakker – of liever, schrok ik wakker zonder te weten waarvan.

De echo van een stem in het onderbewuste?

Een geluid.

Een gekraak, het soort geluid dat je hoort wanneer een gewicht zich op een houten vloer van de ene voet op de andere verplaatst. Ik luisterde. Ik voelde hoe mijn gehoorgangen zich opensperden van inspanning. Weer dat gekraak. Ik wachtte erop, wachtte tot ik kon horen of het betekende dat iemands voeten zich van kamer tot kamer verplaatsten en door de gang mijn deur naderden. Ik heb geen tralies voor de ramen, geen pistool onder mijn kussen, maar ik heb dezelfde angsten als andere mensen die zulke voorzorgsmaatregelen wel nemen, en mijn ramen zijn flinterdun en kunnen even makkelijk worden verbrijzeld als een wijnglas. Verleden jaar is er (hoe zeggen ze dat) op klaarlichte dag een vrouw vermoord in een huis twee straten hier vandaan, en de woeste honden die een oude weduwnaar en zijn verzameling antieke klokken bewaakten, werden gewurgd voor hij door een losse werkman die hij zonder betaling had ontslagen, werd neergestoken.

Ik staarde naar de deur, waarvan ik me de vorm eerder voorstelde dan dat ik hem werkelijk zag in het donker. Ik lag doodstil – bij voorbaat al een slachtoffer – maar mijn onregelmatig kloppende hart probeerde te vluchten, sloeg nu hier dan daar tegen de tralies van zijn kooi. Wat zijn je zintuigen scherp als je net uit je rust, uit je slaap ontwaakt. Overdag zou ik, door allerlei dingen afgeleid, nooit zo scherp kunnen luisteren: ik probeerde elk geluidje te interpreteren, identificeerde en classificeerde het eventuele gevaar dat het inhield.

Maar het bleek dat ik noch bedreigd noch gespaard zou worden. Er drukte geen menselijk gewicht op de planken vloer, het gekraak was een ontwrichting, een epicentrum van spanningen. Ik bevond me er middenin. Het huis dat mij tijdens mijn slaap omringt, is gebouwd op ondermijnde grond. Ver onder mijn bed, de vloer, de fundamenten van het huis, hebben de gangen en galerijen van een goudmijn de rotsbodem uitgehold, en als er duizend meter onder mij ergens een rotsblok trilt, losraakt en valt, trilt het hele huis een beetje, ontstaat er een ongemakkelijke spanning in het evenwicht en tegenwicht van baksteen, cement, hout en glas die het gebouw om me heen bij elkaar houden. Het wilde kloppen van mijn hart stierf weg als de laatste gedempte roffels op de houten xylofoons waar de Chopi en Tsonga op spelen, de mannen die hier als gastarbeiders in de mijnen werken en die op dat ogenblik misschien daarbeneden, diep onder me in de aarde bezig waren. Misschien werd de gang waar de instorting zich heeft voorgedaan niet meer gebruikt, sijpelde er water uit zijn kapotte aderen langs de wanden; of misschien waren er daar nu mannen begraven in een graf diep onder de grond.

Ik kon geen houding vinden waarin mijn geest mijn lichaam weer wilde loslaten – me vrijlaten om weer in slaap te vallen. Daarom begon ik mezelf een verhaaltje te vertellen. Een verhaaltje voor het slapen gaan.

In een huis in een villawijk van een stad woonden eens een man en zijn vrouw. Ze hielden erg veel van elkaar en leefden nog lang en gelukkig. Ze hadden een zoontje van wie ze erg veel hielden. Ze hadden een hond en een kat van wie het zoontje erg veel hield. Ze hadden een auto met caravan voor de vakanties en een zwembad met een hek eromheen, zodat het zoontje en zijn speelgenootjes er niet in konden vallen en verdrinken. Ze hadden een dienstmeisje dat heel erg betrouwbaar was en een losse tuinman die hun speciaal was aanbevolen door de buren. Want toen ze begonnen met lang en gelukkig te leven, had de wijze oude heks, de moeder van de man, hen gewaarschuwd dat ze niet zo maar iemand van de straat moesten aannemen. Ze hadden een goede ziekteverzekering, ze betaalden hun hondenbelasting, ze waren verzekerd tegen brand, overstromingen en inbraak en waren lid van de plaatselijke Wijkbewaking die hun een bordje had gegeven voor op het hek, waarop boven het silhouet van een mannetje dat op het punt stond te gaan inbreken de woorden U BENT GEWAARSCHUWD te lezen stonden. Het mannetje droeg een masker, je kon niet zien of het blank of zwart was, hetgeen bewees dat de eigenaar van het huis geen racist was.

Het was niet mogelijk het huis, het zwembad of de auto tegen schade door oproer te verzekeren. Er waren rellen, maar dat was buiten de stad, waar mensen van een andere kleur woonden. Die mensen mochten niet in de villawijk komen, behalve als betrouwbaar dienstmeisje of tuinman, ze hadden dus niets te vrezen, zei de man tegen zijn vrouw. Toch was ze bang dat er op een dag zulke mensen de straat in zouden komen, het bordje U BENT GEWAARSCHUWD van het hek zouden rukken en naar binnen stormen... Onzin, schat, zei de man, we hebben politie en soldaten en traangas en geweren om ze tegen te houden. Maar om haar een plezier te doen – want hij hield heel veel van haar en er werden bussen in brand gestoken en auto's met stenen bekogeld en schoolkinderen doodgeschoten door de politie in die buurten buiten het gezicht en het gehoor van de villawijk – liet hij een elektronisch bediend hek installeren. Iedereen die het bordje U BENT GEWAARSCHUWD er afrukte en probeerde het hek open te maken, moest eerst uitleggen wat hij kwam doen door op een knop te drukken en in een met het huis verbonden microfoontje te praten. Het jongetje vond het microfoontje prachtig en gebruikte het als walkie-talkie als hij diefje-met-verlos speelde met zijn vriendjes.

De rellen werden onderdrukt, maar er werd veel ingebroken in de villawijk en iemands betrouwbare dienstmeisje was vastgebonden en in een kast opgesloten toen ze op het huis van haar werkgevers paste. Het betrouwbare dienstmeisje van de man, de vrouw en het zoontje was erg van streek door dit ongeluk dat haar vriendin was overkomen, want zij zelf moest ook vaak op de bezittingen van de man en de vrouw en het zoontje passen, en ze smeekte haar werkgevers tralies voor de ramen en deuren aan te brengen en een alarmsysteem te installeren. De vrouw zei: ze heeft gelijk, laten we haar raad opvolgen. Dus als ze nu door de ramen en deuren van het huis waar ze lang en gelukkig leefden naar buiten keken, zagen ze de bomen en de lucht van achter tralies en toen de kat van het zoontje door het bovenlicht naar binnen probeerde te klimmen om hem gezelschap te houden in zijn bedje, zoals hij gewoon was, ging het alarm af en jankte door het huis.

Het alarm kreeg vaak antwoord – leek het wel – van andere alarminstallaties in andere huizen, die afgingen door een poes of knagende muizen. De alarminstallaties gilden, blaatten en jammerden tegen elkaar door de tuinen en iedereen raakte er algauw zo aan gewend dat de bewoners er evenmin meer van wakker schrokken als van het gekwaak van kikkers en het muzikale tsjirpen van de cicaden. Onder dekking van de conversatie van de elektronische harpijen zaagden inbrekers de ijzeren tralies door en drongen huizen binnen waar ze hifi-apparatuur, televisietoestellen, cassettespelers, camera's en radio's, sieraden en kleding stalen. Sommigen hadden zo'n honger dat ze de hele koelkast leeg aten, of ze hadden de brutaliteit om op hun gemak de whisky uit het drankkastje of de patiobar op te drinken. Verzekeringsmaatschappijen vergoedden gestolen moutwhisky niet, en het feit dat de huiseigenaar wist dat de dieven vast niet in staat waren geweest te waarderen wat ze dronken, maakte het verlies nog pijnlijker.

Toen kwam de tijd dat er heel veel mensen die geen betrouwbare dienstmeisjes of tuinmannen waren in de villawijk rondhingen, omdat ze geen werk hadden. Sommigen vroegen om werk: wieden of een dak opschilderen, het geeft niet wat, *baas, madam*. Maar de man en de vrouw herinnerden zich de waarschuwing dat ze niet zo maar mensen van de straat moesten aannemen. Sommigen dronken en vervuilden de straat met lege drankflessen. Sommigen bedelden, zaten te wachten tot de man of zijn vrouw met de auto uit het elektronisch bediende hek kwam. Ze zaten met hun voeten in de goot onder de jacarandabomen die de straat tot een groene tunnel maakten – want het was een mooie villawijk, die alleen werd bedorven door hun aanwezigheid – en soms vielen ze dwars voor het hek liggend in de middagzon in slaap. De vrouw kon er niet tegen mensen honger te zien lijden. Ze stuurde het betrouwbare dienstmeisje naar buiten met brood en thee, maar het betrouwbare dienstmeisje zei dat het nietsnutten en *tsotsi's* waren die haar in de kast zouden opsluiten en vastbinden. De man zei: ze heeft gelijk. Laten we haar raad opvolgen. Je moedigt ze maar aan met je brood en je thee. Ze loeren op een kans... En hij haalde elke avond het driewielertje van het zoontje uit de tuin naar binnen, want hoewel het huis goed was beveiligd als de ramen en deuren waren gesloten en de alarminstallatie was aangezet, zou er toch nog iemand over de muur of het elektronisch bediende hek de tuin in kunnen klimmen.

Je hebt gelijk, zei de vrouw, dan moeten we de muur maar laten verhogen. En de wijze oude heks, de moeder van de man, betaalde de extra bakstenen als kerstcadeautje voor haar zoon en zijn vrouw – het zoontje kreeg een ruimtepak en een sprookjesboek.

Maar elke week waren er meer berichten over indringers: op klaarlichte dag en in het holst van de nacht, heel vroeg in de ochtend en zelfs in de heerlijke zomerse avondschemering: een zekere familie zat 's avonds aan tafel terwijl boven de slaapkamers werden leeg geroofd. De man en de vrouw zaten net over de laatste gewapende overval in de villawijk te praten, toen ze werden afgeleid door de kat van het zoontje die moeiteloos over de meer dan twee meter hoge muur binnenkwam: eerst zette hij zich met zijn voorpootjes schrap tegen de steile binnenkant en toen landde hij met een sierlijke sprong en zwaaiende staart in de tuin. De sporen van het komen en gaan van de kat waren zichtbaar op de witgekalkte muur en aan de straatkant zaten grotere vlekken van rood zand, die gemaakt zouden kunnen zijn door het soort kapotte sportschoenen dat de werkloze lanterfanters droegen – en die hadden vast geen onschuldige bedoelingen gehad.

Als de man en de vrouw en het zoontje hun hond uitlieten in de naburige straten, bleven ze niet meer telkens staan om hier een prachtig perk met rozen, daar een volmaakt gazon te bewonderen, want die gingen nu schuil achter allerlei soorten veiligheidshekken en muren en apparaten. De man, de vrouw, het zoontje en de hond kwamen langs een keur van opmerkelijke mogelijkheden: je had de goedkope oplossing van in cement vastgezette glasscherven langs de bovenkant van muren, je had ijzeren traliehekken met scherpe punten aan de bovenkant, er waren pogingen om de esthetiek van de gevangenisarchitectuur aan te passen aan de stijl van een Spaanse villa (roze geverfde punten) of aan de gipsen urnen van neoklassieke gevels (hagelwit geschilderde, dertig centimeter lange punten met zigzaggende uitsteeksels, die op bliksemschichten leken). In sommige muren zat een bordje geschroefd met de naam en het telefoonnummer van het bedrijf dat de beveiligingen had aangebracht. Terwijl het zoontje en de hond voor hen uit renden, wogen de man en de vrouw de mogelijke doeltreffendheid van elke stijl af tegen het uiterlijk; en toen ze een paar weken later nu bij deze dan bij die versperring bleven staan zonder iets te hoeven zeggen, waren ze het erover eens dat er maar één in aanmerking kwam. Het was de lelijkste, maar ook de eerlijkste oplossing met zijn zuivere concentratiekampstijl: geen verfraaiingen, een en al zichtbare doeltreffendheid. Hij werd over de hele lengte van de muur aangebracht en bestond uit een aaneengesloten rol stijf glimmend metaaldraad met een kartelrand van messcherpe punten, zodat het onmogelijk was er overheen te klimmen of er doorheen te kruipen zonder verstrikt te raken in de punten. Geen mens zou er ooit uit kunnen ontsnappen, de worsteling zou alleen maar bloediger en bloediger worden terwijl steeds meer scherpe tanden zich vastbeten in zijn vlees en het verscheurden. De vrouw huiverde als ze ernaar keek. Je hebt gelijk, zei de man, iedereen zal zich wel twee keer bedenken... En ze volgden de raad op van het kleine bordje op de muur: DRAKETANDEN garandeert uw totale veiligheid.

De volgende dag kwam er een stel werklui die de met scherpe punten bezette rollen metaaldraad aanbrachten op alle muren rond het huis waarin de man en de vrouw en het zoontje en de hond en de kat zo lang en gelukkig leefden. Het zonlicht blikkerde op de punten, een glimmende rand van vlijmscherpe doornen omringde het huis. De man zei: maak je geen zorgen, het verweert na een tijdje wel. De vrouw zei: dat is niet zo, het is gegarandeerd roestvrij. En ze wachtte tot het zoontje buiten was gaan spelen voordat ze zei: ik hoop dat de kat er niet doorheen probeert te klimmen... De man antwoordde: maak je geen zorgen schat, katten letten altijd op waar ze springen. En inderdaad, vanaf die dag sliep de kat op het bed van het zoontje en bleef in de tuin en probeerde niet één keer om door de beveiliging heen te komen.

Op een avond las de moeder het zoontje voor het slapen gaan voor uit het sprookjesboek dat de wijze oude heks hem met Kerstmis had gegeven. De volgende dag speelde hij dat hij de prins was die de verschrikkelijke doornhaag trotseert om het paleis binnen te dringen en de Schone Slaapster wakker te kussen. Hij sleepte een ladder naar de muur, de glimmende tunnel binnen in de rol was net wijd genoeg om er met zijn kleine lichaam in te kruipen en toen de scherpe tanden zich vastbeten in zijn knieën en zijn handen en zijn hoofd, gilde hij en worstelde zich er nog dieper in. Het betrouwbare dienstmeisje en de losse tuinman, wiens dag het toevallig was, kwamen aanrennen. Het meisje zag hem en gilde even hard als hij, de losse tuinman reet zijn handen open toen hij probeerde het zoontje te bereiken. Toen kwamen de man en zijn vrouw het huis uit stormen en om de een of andere reden (waarschijnlijk de kat) begon het alarm door hun gegil heen te krijsen terwijl het bloedende lichaam van het jongetje met zagen, metaalscharen, bijlen uit de rol werd bevrijd en ze hem – de man, de vrouw, het hysterische betrouwbare dienstmeisje en de huilende tuinman – het huis binnen droegen.

EEN ONVERGETELIJKE SAFARI

• • •

Avontuurlijk Afrika bestaat nog steeds... Ook u kunt het beleven!
Een onvergetelijke safari of expeditie onder leiding van deskundigen.

• • •

Advertentie van een reisbureau
The Observer, Londen, 27-11-1988

Die avond ging onze moeder een boodschap doen en ze kwam niet terug. Nooit meer. Wat was er gebeurd? Ik weet het niet. Mijn vader was ook op een dag weggegaan en nooit meer teruggekomen. Maar hij moest vechten in de oorlog. Bij ons was het ook oorlog, maar wij waren kinderen, we waren net als onze grootmoeder en grootvader, we hadden geen geweren. De mensen tegen wie mijn vader ging vechten – de bandieten noemde onze regering hen – renden overal door het dorp en wij renden voor hen weg als kippen die door honden achterna worden gezeten. We wisten niet waar we heen moesten rennen. Onze moeder was naar de winkel gegaan omdat iemand had gezegd dat er wat spijsolie te koop was. Wij waren blij, want we hadden al een hele tijd geen olie meer geproefd. Misschien heeft ze olie kunnen krijgen en heeft iemand haar in het donker neergeslagen en haar de olie afgepakt. Misschien is ze bandieten tegengekomen. Als je die tegenkomt, maken ze je dood. Twee keer zijn ze naar ons dorp gekomen en wij vluchtten en verstopten ons in de bush en toen ze weg waren, gingen we terug en zagen dat ze alles hadden meegenomen. Maar de derde keer dat ze kwamen was er niets meer om mee te nemen, geen olie, geen eten, en toen staken ze het stro in brand zodat de daken van onze huizen instortten. Mijn moeder vond ergens een paar stukken blik en die legden we op een deel van ons huis. Daar zaten we op haar te wachten die avond, maar ze kwam niet terug.

We durfden niet naar buiten te gaan, zelfs niet om onze behoefte te doen, want de bandieten kwamen. Niet in ons huis – omdat het geen dak had, leek het waarschijnlijk of het leeg was, alles weg – maar overal in het dorp. We hoorden mensen gillen en rennen. We waren zelfs te bang om weg te rennen, nu onze moeder er niet was om ons te zeggen waarheen. Ik ben de middelste, het meisje, en mijn kleine broertje klemde zich aan me vast als een klein aapje aan zijn moeder, met zijn armen om mijn hals en zijn benen om mijn middel. Mijn eerstgeboren broer hield de hele nacht een stuk hout van een van de palen van ons huis in zijn hand. Dat deed hij om zich te verdedigen als de bandieten hem zouden vinden.

We bleven daar de hele dag. We wachtten op haar. Ik weet niet wat voor dag het was, er was geen school meer in ons dorp en ook geen kerk, zodat je niet wist of het een zondag was of een maandag.

Toen de zon onderging, kwamen onze grootmoeder en grootvader. Iemand van ons dorp had hun verteld dat wij kinderen alleen waren, dat onze moeder niet was teruggekomen. Ik zeg 'grootmoeder' voor 'grootvader' omdat het zo is: onze grootmoeder is groot en sterk, nog niet oud, en onze grootvader is klein, je weet niet waar hij is, in zijn wijde broek, hij glimlacht maar hij heeft niet gehoord wat je zei en zijn haar ziet eruit alsof hij het vol vlokken zeepsop heeft laten zitten. Onze grootmoeder nam ons – mij, de baby, mijn eerstgeboren broer, mijn grootvader – mee naar haar huis en we waren allemaal bang (behalve de baby die op de rug van onze grootmoeder in slaap was gevallen) dat we de bandieten onderweg zouden tegenkomen. We wachtten lange tijd in het huis van mijn grootmoeder. Misschien wel een maand. We hadden honger. Onze moeder kwam niet terug. Al die tijd dat we wachtten tot ze ons zou komen halen, had onze grootmoeder geen eten voor ons, geen eten voor onze grootvader en voor zichzelf. Een vrouw met melk in haar borsten gaf ons een beetje voor mijn kleine broertje, hoewel die thuis al pap at, net als wij. Onze grootmoeder ging wilde spinazie met ons zoeken, maar dat deed iedereen in het dorp al en er was geen blaadje meer over.

Onze grootvader ging mijn moeder zoeken, hij liep mee met een paar jonge mannen, een eindje achter hen, maar hij vond haar niet. Onze grootmoeder huilde samen met andere vrouwen en ik zong de hymnen met ze mee. Ze brachten een beetje eten – wat bonen – maar na twee dagen was alles weer op. Onze grootvader had vroeger drie schapen en een koe en een moestuin maar de bandieten hadden de schapen en de koe al een hele tijd geleden meegenomen, omdat zij ook honger hadden, en toen het tijd was om te zaaien, had onze grootvader geen zaad.

Daarom besloten ze dat we weg zouden gaan – dat wil zeggen, onze grootmoeder besloot het, onze grootvader maakte zachte geluidjes en wiegde heen en weer, maar daar lette ze niet op. Wij kinderen waren blij. We wilden weg van die plaats waar onze moeder niet was en waar we honger leden. We wilden naar een plaats gaan waar geen bandieten waren en waar eten was. We waren blij toen we hoorden dat er zo'n plaats moest zijn, ver van hier.

Onze grootmoeder gaf haar zondagse kleren aan iemand in ruil voor een paar gedroogde maïskolven en ze kookte die en wikkelde ze in een oude lap. We namen ze mee toen we weggingen en ze dacht dat we water uit de rivieren zouden kunnen halen, maar we kwamen geen enkele rivier tegen en we kregen zo'n dorst dat we terug moesten gaan. Niet helemaal naar het huis van onze grootouders, maar naar een dorp waar een pomp was. Ze maakte de mand open waarin ze wat kleren en de maïs droeg en ze verkocht haar schoenen om een grote plastic waterfles te kopen. Ik zei: *Gogo,* hoe kun je nu nog naar de kerk, als je niet eens schoenen meer hebt, maar ze antwoordde dat we een lange reis moesten maken en te veel te dragen hadden. In dat dorp ontmoetten we andere mensen die ook weggingen. We gingen met hen mee, omdat ze beter schenen te weten waar dat 'weg' was dan wij.

Om er te komen moesten we door het Krugerpark. We hadden van het Krugerpark gehoord. Een heel land met alleen maar dieren – olifanten, leeuwen, jakhalzen, hyena's, nijlpaarden, krokodillen, allerlei soorten dieren. Sommige ervan hadden we ook in ons land, voor de oorlog (onze grootvader kan het zich nog herinneren; wij kinderen waren nog niet geboren), maar de bandieten doden de olifanten om hun slagtanden te verkopen en de bandieten en onze soldaten hebben alle reebokken opgegeten. Er woonde een man in ons dorp die geen benen had – ze waren afgebeten door een krokodil in onze rivier – maar toch is ons land een land van mensen, niet van dieren. We wisten van het Krugerpark omdat sommige van onze mannen vroeger weggingen om daar te werken in de plaatsen waar blanken komen logeren om naar de dieren te kijken.

We gingen dus weer verder, ver weg. Er waren vrouwen en nog meer kinderen zoals ik, die de kleintjes op hun rug moesten dragen als de vrouwen moe werden. Een man leidde ons naar het Krugerpark. Zijn we er al, zijn we er al? vroeg ik telkens weer aan onze grootmoeder. Nog niet, zei de man, als ze het hem voor me vroeg. Hij vertelde ons dat we een heel eind om moesten lopen tot waar de afrastering ophield, want als je die aanraakte, ging je dood, legde hij uit, hij schroeide je huid van je lichaam als je er aankwam, net als die draden aan palen, die elektrisch licht naar onze steden brengen. Ik heb wel eens zo'n plaatje gezien van een hoofd zonder ogen of huid en haar op een ijzeren doos. Dat was in ons missieziekenhuis voordat het werd opgeblazen.

De volgende keer dat ik het vroeg, zeiden ze dat we al een uur in het Krugerpark liepen. Maar het zag er net zo uit als de bush waar we de hele dag doorheen hadden gelopen en we hadden geen dieren gezien, behalve de apen en vogels die thuis ook om ons heen leven, en een schildpad: die kon ons natuurlijk niet ontsnappen. Mijn eerstgeboren broer en de andere jongens brachten hem naar de man zodat ze hem konden doden en we hem konden koken en opeten, maar die liet hem los, want we konden toch geen vuur maken, legde hij ons uit. Zolang we in het park waren, mochten we geen vuur maken, omdat de rook zou verraden waar we waren. Dan zouden politiemannen, parkwachters, komen en ons terugsturen naar waar we vandaan kwamen. Hij zei dat we ons moesten bewegen als dieren tussen de dieren, ver van de weg en van de kampen van de blanken vandaan. En op dat ogenblik hoorde ik – ik weet zeker dat ik de eerste was die het hoorde – krakende takken en het geluid van iets dat door het gras liep en ik gaf bijna een gil want ik dacht dat de politiemannen, de parkwachters, er waren – de mensen voor wie we moesten uitkijken, zoals hij ons net had gezegd – dat ze ons al hadden gevonden. Maar het was een olifant, en nog een olifant, en nog meer olifanten, overal waar je keek bewogen er grote donkere vlekken tussen de bomen. Ze krulden hun slurf om de rode bladeren van de mopaniebomen en propten ze in hun mond. De baby's leunden tegen hun moeder aan. De bijna volwassenen worstelden met elkaar, net als mijn eerstgeboren broer met zijn vrienden – alleen gebruikten zij hun slurf in plaats van armen. Ik ging er zo in op dat ik vergat om bang te zijn. De man zei dat we gewoon rustig moesten blijven staan en ons stilhouden tot de olifanten voorbij waren. Ze trokken heel langzaam voorbij, omdat olifanten zo groot zijn dat ze voor niemand hoeven weg te lopen.

De reebokken renden voor ons weg. Ze maakten zulke hoge sprongen dat het leek of ze vlogen. De wrattenzwijnen bleven doodstil staan als ze ons hoorden en gingen er dan zigzaggend vandoor, net als een jongen uit ons dorp altijd deed op zijn fiets, die zijn vader voor hem had meegebracht uit de mijnen. We volgden de dieren naar de plaats waar ze dronken. Toen ze weg waren, gingen we naar hun drinkpoelen. We konden altijd water vinden als we dorst hadden, maar de dieren aten en aten de hele tijd. Altijd als je ze zag, waren ze aan het eten, gras, bomen, wortels. En voor ons was er niets. De maïskolven waren op. Het enige dat we konden eten was wat de bavianen aten, kleine droge vijgen die langs de oevers van de rivieren aan de boomtakken groeien en die vol met mieren zaten. Het was moeilijk om net als de dieren te leven.

Toen het heel heet was overdag, stuitten we op leeuwen die lagen te slapen. Ze hadden dezelfde kleur als het gras en we zagen ze eerst niet, maar de man zag ze wel en hij liet ons teruggaan en een heel eind omlopen, om de plek heen waar ze lagen. Ik had ook willen gaan liggen, net als de leeuwen. Mijn kleine broertje werd mager, maar hij was toch heel zwaar. Als onze grootmoeder me zocht om hem op mijn rug te zetten, probeerde ik haar niet te zien. Mijn eerstgeboren broer praatte niet meer en als we hadden gerust, moesten we hem door elkaar schudden om hem weer te laten opstaan, hij leek net onze grootvader, hij hoorde ons niet. Ik zag vliegen over het gezicht van onze grootmoeder kruipen en ze veegde ze niet weg. Ik werd bang. Ik pakte een palmblad en jaagde ze weg.

We liepen zowel 's nachts als overdag. We zagen de vuren waarop de blanken kookten in de kampen en we roken het brandende hout en het vlees. We zagen de hyena's met hun afhellende ruggen, alsof ze zich schamen, door de bush glijden, aangelokt door de geur. Als er een om keek, zag je dat hij grote bruine glanzende ogen had, net als wij als we elkaar aankeken in het donker. De wind droeg stemmen die onze eigen taal spraken naar ons toe uit de *compounds* waar de mensen wonen die in de kampen werken. Een van de vrouwen onder ons wilde 's nachts naar hen toe gaan om hulp te vragen. Ze kunnen ons het eten uit de vuilnisbakken geven, zei ze. Ze begon te jammeren en onze grootmoeder moest haar beetpakken en haar hand voor haar mond houden. De man die ons leidde had tegen ons gezegd dat we onze mensen die in het Krugerpark werkten met rust moesten laten: als ze ons hielpen, zouden ze hun baan kwijtraken. Het enige wat ze konden doen als ze ons zagen, was net doen alsof we er niet waren, alsof ze alleen dieren hadden gezien.

Soms hielden we 's nachts stil om een beetje te slapen. We lagen dicht tegen elkaar aan. Op een nacht, ik weet niet welke nacht het was, want we liepen en liepen maar door, dag en nacht, hoorden we de leeuwen heel dichtbij. Geen luid kreunen, zoals toen ze ver weg waren. Hijgen, zoals wij doen wanneer we rennen, maar toch anders: je hoort dat ze niet rennen, ze wachten ergens vlakbij. We rolden allemaal dichter naar elkaar toe, boven op elkaar, de mensen die aan de rand lagen vochten zich naar het midden toe. Ik lag tegen een vrouw aan gedrukt die vies rook omdat ze bang was, maar ik was blij dat ik me aan haar kon vastklemmen. Ik bad God dat de leeuwen iemand die aan de rand lag zouden pakken en weggaan. Ik kneep mijn ogen dicht om de boom niet te zien waaruit een leeuw boven op ons kon springen, midden tussen de mensen, waar ik lag.

In plaats daarvan sprong de man die ons leidde op en sloeg met een dode tak tegen de boom. Hij had ons geleerd nooit geluid te maken, maar hij schreeuwde. Hij schreeuwde tegen de leeuwen als een dronken man die soms zo maar loopt te schreeuwen in ons dorp. De leeuwen gingen weg. We hoorden ze steunen, terug schreeuwen uit de verte.

We waren moe, zo moe. Mijn eerstgeboren broer en de man moesten onze grootvader van steen tot steen dragen als we een rivier overstaken. Onze grootmoeder is sterk, maar haar voeten bloedden. We konden de mand niet meer op ons hoofd dragen, we konden niets dragen behalve mijn kleine broertje. We lieten onze spullen achter onder een struik. Als onze lichamen er maar komen, zei onze grootmoeder. Toen aten we wilde vruchten die we niet kenden van thuis en we kregen buikloop. We liepen door het gras dat ze olifantsgras noemen, omdat het bijna even hoog is als een olifant, op de dag dat we zo'n buikpijn hadden; en onze grootvader kon niet zo maar gaan zitten waar anderen bij waren, zoals mijn kleine broertje, dus hij liep een eindje weg door het gras om alleen te zijn. We moesten zorgen dat we niet achter raakten, zoals de man die ons leidde altijd weer zei, we moesten doorlopen, maar we vroegen hem op onze grootvader te wachten.

Dus iedereen wachtte tot onze grootvader ons zou inhalen. Maar hij kwam niet. Het was midden op de dag, de insekten zoemden in onze oren en we konden hem niet door het gras horen lopen. We konden hem ook niet zien, omdat het gras zo hoog was en hij zo klein. Maar hij moet daar ergens zijn geweest in zijn te wijde broek en zijn hemd dat was gescheurd maar dat onze grootmoeder niet kon naaien omdat ze geen garen had. We wisten dat hij niet ver weg kon zijn, want hij was zwak en langzaam. We gingen allemaal naar hem zoeken, maar in groepjes, zodat we elkaar niet ook zouden kwijtraken in dat gras. Het kwam in onze ogen en onze neus, we riepen hem zachtjes, maar waarschijnlijk nam het lawaai van de insekten de kleine ruimte in die hij nog in zijn oren had om te horen. We zochten en we zochten, maar we konden hem niet vinden. We bleven de hele nacht in dat lange gras. In mijn slaap vond ik hem, hij lag opgekruld op een plek die hij voor zichzelf had plat getrapt, zoals die plekken die we hebben gezien waar de reebokken hun jongen verbergen.

Toen ik wakker werd, was hij nog steeds nergens te zien. Dus gingen we weer zoeken en nu waren er paden die we hadden gemaakt door aldoor heen en weer te lopen door het gras. Hij zou ons makkelijk kunnen vinden, als we hem niet vonden. Die hele dag zaten we daar alleen maar te wachten. Alles is heel stil als de zon op je hoofd schijnt, in je hoofd, zelfs als je net als de dieren onder de bomen ligt. Ik lag op mijn rug en ik zag die lelijke vogels met kromme snavels en kale nekken almaar boven ons rondvliegen. We waren er onderweg vaak langs gekomen als ze zaten te vreten op de skeletten van dode dieren, er was nooit iets voor ons over om te eten. Rond en rond, nu eens hoog en dan weer lager en dan weer hoog. Ik zag hoe ze hun nekken nu deze dan die kant op draaiden. Ze vlogen almaar rondjes. Ik zag dat onze grootmoeder, die de hele tijd met mijn kleine broertje op schoot zat, ze ook zag.

's Middags kwam de man die ons leidde naar onze grootmoeder toe en zei tegen haar dat de andere mensen verder moesten gaan. Als hun kinderen niet gauw te eten krijgen, gaan ze dood, zei hij

Onze grootmoeder zei niets.

Ik zal u water brengen voor we gaan, zei hij.

Onze grootmoeder keek naar ons, naar mij, mijn eerstgeboren broer en mijn kleine broertje op haar schoot. We keken toe terwijl de andere mensen opstonden om verder te gaan. Ik kon niet geloven dat het gras leeg zou zijn overal om ons heen waar ze geweest waren. Dat we alleen zouden zijn hier in het Krugerpark, dat de politiemannen of de dieren ons zouden vinden. De tranen rolden uit mijn ogen en mijn neus op mijn handen, maar onze grootmoeder lette er niet op. Ze stond op en spreidde haar voeten zoals wanneer ze brandhout wil optillen thuis in ons dorp, ze zwaaide mijn kleine broertje op haar rug, bond hem vast in haar doek – de bovenkant van haar jurk was gescheurd en je kon haar grote borsten zien, er zat niets voor hem in. Kom, zei ze.

Zo gingen we weg van die plek met het hoge gras. Die bleef achter. We gingen met de anderen mee en met de man die ons leidde. We gingen weer verder, ver weg.

Er is een hele grote tent, groter dan een kerk of een school. Hij zit vast in de grond. Ik begreep niet dat dàt het zou zijn waar we zouden aankomen, ver weg. Wat ik zag was net zo iets als die keer toen onze moeder met ons naar de stad was gegaan omdat ze had gehoord dat onze soldaten daar waren en ze hun wilde vragen of ze wisten waar onze vader was. In die tent zaten mensen te bidden en te zingen. Deze is blauw met wit, net als die andere, maar hij is niet om in te bidden en te zingen, we wonen er met andere mensen die uit ons land hierheen zijn gekomen. De zuster van de kliniek zegt dat we met tweehonderd zijn, de baby's niet meegerekend, en we hebben nieuwe baby's, een paar zijn onderweg geboren, in het Krugerpark.

Het is donker in de tent, zelfs als de zon schijnt, en er is een heel dorp daarbinnen. In plaats van huizen heeft elke familie een klein plekje voor zichzelf, afgebakend met zakken of karton van dozen – wat we maar vinden – zodat de andere families kunnen zien dat dit van jou is en dat ze niet binnen moeten komen, ook al zijn er geen deuren en geen ramen en geen rieten daken, zodat je als je opstaat bij iedereen naar binnen kunt kijken, behalve als je een klein kind bent. Sommige mensen hebben zelfs verf gemaakt van gemalen stenen en patronen op de zakken getekend.

Natuurlijk is er wel een dak – de tent is het dak, hoog boven ons. Het lijkt een beetje op de lucht. De tent is net een berg en wij zitten erin; door de plooien lopen paden van stof naar beneden en het stof ligt zo dik dat je denkt dat je erlangs naar boven zou kunnen klimmen. De tent houdt boven ons hoofd de regen buiten, maar aan de zijkanten komt het water naar binnen en in de smalle straatjes tussen onze plekjes – je kunt er maar met één persoon tegelijk door – spelen kleine kinderen zoals mijn broertje in de modder. Je moet over hen heen stappen. Mijn kleine broertje speelt niet. Maandags, als de dokter komt, gaat onze grootmoeder met hem naar de kliniek. Zuster zegt dat er iets mis is met zijn hoofd, ze denkt dat het komt doordat we thuis niet genoeg te eten hadden. Omdat het oorlog was. Omdat onze vader er niet was. En doordat hij daarna zo'n honger heeft gehad in het Krugerpark. Hij blijft het liefst de hele dag bij mijn grootmoeder liggen, op haar schoot of tegen haar aan en hij kijkt en kijkt naar ons. Hij wil iets vragen maar je kunt zien dat hij dat niet kan. Als ik hem kietel glimlacht hij misschien alleen een beetje. De kliniek geeft ons een speciaal poeder om pap voor hem van te maken en misschien komt het op een dag weer goed met hem.

Toen we aankwamen waren we net als hij, mijn eerstgeboren broer en ik. Ik kan het me nauwelijks herinneren. De mensen die in het dorp vlak bij de tent wonen brachten ons naar de kliniek, daar moet je je handtekening zetten dat je bent gekomen – van ver weg, door het Krugerpark. We zaten op het gras en alles was onbegrijpelijk. Er was een heel mooie zuster met ontkroesd haar en mooie schoenen met hoge hakken en die bracht ons dat speciale poeder. Ze zei dat we het met water moesten mengen en dan langzaam opdrinken. We scheurden de pakjes open met onze tanden en likten het allemaal op, het kleefde om mijn mond heen en ik zoog het van mijn vingers en mijn lippen. Sommige van de kinderen die met ons mee waren gekomen, moesten overgeven. Maar ik voelde alleen alles in mijn buik bewegen, terwijl dat goedje naar beneden zakte, rond en ronddraaiend als een slang, en ik kreeg heel erg de hik, en dat deed pijn. Een andere zuster riep dat we in de rij moesten gaan staan op de veranda van de kliniek, maar dat konden we niet. We zaten maar zo'n beetje en vielen tegen elkaar aan. De zusters pakten ons om de beurt bij een arm om ons te helpen opstaan en dan prikten ze er een naald in. Met andere naalden trokken ze ons bloed in kleine flesjes. Dat was tegen ziektes, maar ik begreep het niet, elke keer dat mijn ogen dichtvielen, dacht ik dat ik liep, het gras was lang, ik zag olifanten, ik wist niet dat we ver weg waren aangekomen.

Maar onze grootmoeder was nog sterk, zij kon nog staan, ze kan schrijven en ze zette haar handtekening voor ons. Onze grootmoeder heeft gezorgd dat we deze plek in de tent kregen, tegen een van de zijkanten; hier zit je het best, want hoewel het inregent, kun je de flap omhoog doen als het mooi weer is en dan schijnt de zon op ons en de luchtjes in de tent gaan naar buiten. Onze grootmoeder kent een vrouw hier die haar heeft laten zien waar er goed gras groeit om slaapmatten van te maken en onze grootmoeder heeft er een paar voor ons gemaakt. Eens in de maand komt de vrachtwagen met eten naar de kliniek. Onze grootmoeder neemt een van de kaarten mee waar ze haar handtekening op heeft gezet en als ze daar een knipje in hebben gegeven, krijgen we een zak maïsmeel. Er zijn kruiwagens om het mee naar de tent te brengen; dat doet mijn eerstgeboren broer voor haar en dan houden hij en de andere jongens wedstrijden als ze de lege kruiwagens terugrijden naar de kliniek. Soms heeft hij geluk, dan geeft een man die bier heeft gekocht in het dorp hem geld om het naar de tent te brengen – maar eigenlijk mag dat niet, je moet de kruiwagens meteen terugbrengen naar de zusters. Hij koopt er een flesje frisdrank voor. Als ik hem betrap, deelt hij het met me. Op een andere dag, ook eens in de maand, legt de kerk een hele stapel oude kleren op het erf van de kliniek. Onze grootmoeder heeft nog een kaart om te laten knippen en dan mogen we iets uitzoeken. Ik heb twee jurken, twee broeken en een trui, zodat ik naar school kan.

De mensen van het dorp laten ons toe op hun school. Ik was verbaasd toen ik merkte dat ze onze taal spreken. Onze grootmoeder zei: dat is de reden waarom ze het goedvinden dat we op hun land wonen. Lang geleden, in de tijd van onze vaders, was er geen hek dat je doodmaakt en ook geen Krugerpark tussen hen en ons in, we waren hetzelfde volk onder onze eigen koning, helemaal vanaf het dorp waar we zijn weggegaan tot hier, waar we nu zijn.

Nu we al zo lang in de tent wonen – ik ben elf geworden en mijn kleine broertje is bijna drie, al is hij nog erg klein, alleen zijn hoofd is groot, en het is nog niet helemaal in orde daar – hebben sommige mensen de kale grond om de tent heen omgespit en bonen en maïs en kool geplant. De oude mannen weven takken om hekken om hun tuintjes heen te maken. Niemand mag werk gaan zoeken in de stad, maar sommige van de vrouwen hebben werk gevonden in het dorp en kunnen dingen kopen. Omdat ze nog sterk is, vindt onze grootmoeder werk waar ze huizen aan het bouwen zijn – de mensen in dit dorp bouwen mooie huizen van baksteen en cement, niet van leem, zoals bij ons. Onze grootmoeder draagt bakstenen voor die mensen en ze haalt manden met stenen op haar hoofd. Daarom heeft ze geld om suiker en thee en melk en zeep te kopen. De winkel heeft haar een kalender gegeven die ze op onze flap van de tent heeft gehangen. Ik ben goed op school en ze heeft reclameblaadjes die de mensen buiten de winkel weggooien bewaard om mijn schoolboeken mee te kaften. Ze zorgt ervoor dat mijn eerstgeboren broer en ik elke middag ons huiswerk maken voordat het donker wordt, want op ons plekje in de tent is er alleen plaats om dicht tegen elkaar aan te liggen, net als in het Krugerpark, en kaarsen zijn duur. Onze grootmoeder heeft nog geen schoenen voor zichzelf kunnen kopen om naar de kerk te gaan, maar ze heeft zwarte schoolschoenen en schoensmeer om ze mee te poetsen gekocht voor mijn eerstgeboren broer en mij. Elke ochtend als de mensen in de tent opstaan, de baby's huilen, de mensen zich buiten verdringen bij de kranen en sommige kinderen al de korsten pap uit de pannen peuteren waaruit we gisteren hebben gegeten, poetsen mijn eerstgeboren broer en ik onze schoenen. Dan moeten we op onze mat gaan zitten van onze grootmoeder, met onze benen recht voor ons uit, zodat ze goed naar onze schoenen kan kijken om te controleren of we het wel goed hebben gedaan. Geen van de andere kinderen in de tent heeft echte schoolschoenen. Als we er met ons drieën naar kijken, is het net of we weer in een echt huis wonen, zonder oorlog, zonder ver weg te zijn.

Er zijn een paar blanken gekomen om foto's te nemen van de mensen die in de tent wonen – ze zeiden dat ze een film aan het maken waren. Ik heb er nog nooit een gezien, maar ik weet wat het is. Een blanke vrouw wrong zich naar binnen op ons plekje en stelde vragen aan mijn grootmoeder. Iemand die de taal van de blanke vrouw sprak herhaalde ze voor ons in onze eigen taal. Hoe lang leeft u al zo?

Bedoelt ze hier? vroeg onze grootmoeder. In deze tent twee jaar en een maand.

En wat verwacht u van de toekomst?

Niets. Ik ben hier.

Maar voor uw kinderen?

Ik wil dat ze leren, zodat ze goed werk kunnen krijgen en geld verdienen.

Hebt u hoop dat u ooit terug zult kunnen gaan naar Mozambique, uw land?

Ik ga niet terug.

Maar als de oorlog voorbij is – dan mag u hier niet meer blijven. Wilt u dan niet naar huis?

Ik dacht dat onze grootmoeder niet meer wilde praten. Ik dacht dat ze de blanke vrouw geen antwoord zou geven. De blanke vrouw hield haar hoofd naar opzij en glimlachte naar ons.

Onze grootmoeder keek de andere kant uit en zei: er is niets. Geen thuis.

Waarom zegt onze grootmoeder dat? Waarom? Ik ga later terug. Ik ga terug door het Krugerpark. Na de oorlog, als er geen bandieten meer zijn, wacht onze moeder thuis misschien op ons. En misschien is onze grootvader toen we hem achterlieten alleen maar achtergebleven en heeft hij, op de een of andere manier, langzaam aan, de weg terug gevonden door het Krugerpark en is hij daar. Ze zullen thuis zijn en ik zal ze nog kennen.

GEVONDEN VOORWERP

• • •

Laat ze oprotten.

Een man die geen geluk had gehad met vrouwen besloot een poosje alleen te blijven. Hij was twee keer uit liefde getrouwd. Hij gooide alles het huis uit dat zijn liefhebbende tweede echtgenote op de een of andere manier over het hoofd had gezien toen ze de benen nam met de mooiste spulletjes die ze samen hadden verzameld: schilderijen, zeldzaam glas, zelfs de beste wijnen uit de kelder. Hij gooide boeken weg waarin zijn eerste vrouw als bruid liefdevol haar nieuwe naam op het schutblad had geschreven. Toen ging hij, voor het eerst sinds hij het zich kon herinneren, zonder een of andere vrouw mee te nemen met vakantie. Voor het eerst sinds hij het zich kon herinneren; maar die hoeren en sletten op wie hij zich had verbeeld verliefd te zijn, waren trouweloos gebleken toen ze netjes met hem waren getrouwd en hadden beloofd voor altijd van hem te houden.

Hij ging in zijn eentje naar een badplaats waar de rotsen de zee in rafelige waaiers omhoog wierpen, het getij siste en kolkte in de poelen. Er was geen zand. Er waren op zuurtjes lijkende stenen, gestreept, gevlekt, dooraderd, en daarop lagen mensen – vrouwen – op door het zout uitgebeten matrassen en streelden zichzelf met geparfumeerde oliën. Ze droegen hun haar opgestoken dat jaar, vastgehouden door een elastieken krans van kunstbloemen, of het hing druipend naar beneden – als ze uit het water kwamen met glanzende armen en benen bezet met druppels van kristal – uit goudkleurige haarspelden die om het hardst leken te glinsteren met de grote ringen in hun oren. Hun borsten waren bloot. Hun schaamstreek was bedekt met een omgekeerd driehoekje glanzende stof, op zijn plaats gehouden door een koordje dat tussen de billen omhoog liep naar twee andere koordjes die vanaf de buik over het heupbeen naar achteren liepen. Vanwaar hij lag leken ze helemaal naakt als ze van hem vandaan liepen naar de zee; als ze er hijgend van genot weer uitkwamen en in zijn gezichtsveld verschenen, dansten hun borsten, of ze hingen naar beneden terwijl de vrouwen zich lachend bukten naar hun handdoek, kammetje, zonnebrandolie. Van sommigen leek de huid wel geverfd met een afbindtechniek: witte of rode strepen en vlekken op plaatsen waar kleren stukjes van hun lichaam hadden beschermd tegen de vurige onderdompeling in de zon. Van anderen waren de tepels rauw als aardbeien, je kon zien dat ze het nauwelijks konden verdragen ze met zalf aan te raken. Er waren ook mannen, maar daar keek hij niet naar. Als hij zijn ogen dichtdeed en naar de zee luisterde, rook hij de vrouwen – hun zonnebrandolie.

Hij zwom veel. Ver de kalme baai in, tussen de surfers, die gekruisigd leken tegen hun kleurige zeilen, of dichter bij de oever, waar horden schuimende brekers zijn hoofd beukten in de branding. Een school jonge moeders baadde pootje met hun baby's in het ondiepe water. De naakte kinderen klemden zich vast aan het licht indeukende, zachte vlees van hun moeder, waar ze nog maar zo kort van waren gescheiden dat het leek of ze nog deel uitmaakten van die vrouwelichamen, waarin ze door mannen als hij zelf waren geplant. Hij ging op de stenen liggen om te drogen. De harde in zijn vlees porrende keien gaven hem een plezierig gevoel, hij schoof heen en weer tot zijn botten een plekje hadden gevonden, zich in een holte hadden gewurmd, zodat de stenen zijn contouren volgden in plaats van ze te weerstaan. Hij viel in slaap. Toen hij wakker werd, zag hij hun geschoren benen langs zijn hoofd komen – vrouwen. Uit hun natte haar geschudde druppels vielen op zijn warme schouders. Soms zwom hij onder water, gleed met zijn schurende huid onder hen door als een haai.

Zoals mannen doen wanneer ze alleen op het strand zijn, gooide hij stenen in zee, herinnerde zich – hervond – de kunst ze ketsend over het water te laten dansen. Op zijn buik liggend, buiten het bereik van de laatste golfjes, liet hij door de zee gepolijste stenen door zijn handen glijden en begon ze van dichtbij te bekijken, niet als een volwassene, maar als een kind, dat kijkt en kijkt naar een bloem, een blad – een steen, geboeid door de alluviale strepen, de geheimzinnig gekleurde vlakjes, de onderhuidse glinstering van mica, terwijl het (net als hij) de vorm voelt, een ovaal of een ruit, glad geslepen door de geoliede liefkozende hand van de zee.

Niet alle stenen waren echt stenen. Er waren platte amberkleurige ovalen, die edelsmid de oceaan had geslepen uit de scherven van gebroken bierflesjes. Er waren cabochons van blauw en groen glas (van een ander soort verdronken fles) die voor aquamarijnen en smaragden hadden kunnen doorgaan. Kinderen verzamelden ze in hoeden of emmertjes. En tussen al die schatten en het piepschuim en ander plastic afval dat vrachtschepen overboord gooien en dat op alle kusten van de wereld aanspoelt, weer wegdrijft en opnieuw aanspoelt, vond hij op een middag, tussen de stenen die hij als een monnik die de rozenkrans bidt door zijn handen liet glijden, een echte schat. Tussen de steentjes en stukjes gekleurd glas lag een diamanten en saffieren ring. Hij lag niet boven op de kiezels van het strand, dus hij kon niet net die dag door een van de vrouwen zijn verloren. Een of ander schatje, het liefje van een rijke man (of zijn goed beschermde vrouw) moest, met haar sieraden aan maar overigens modieus onbedekt, daarginds van een jacht zijn gedoken en hebben gevoeld dat het water een van haar ringen van haar vinger trok. Of ze had het niet gevoeld, had het verlies pas opgemerkt toen ze weer aan dek stond, was haastig de verzekeringspolis gaan opzoeken, terwijl de zee de ring steeds dieper naar beneden trok, tot hij er genoeg van kreeg en hem dagen of misschien jaren achtereen langzaam voortduwde en verder rolde om hem ten slotte op de kust te werpen. Het was een mooie ring. De saffier was een grote, langwerpige steen omringd door ronde diamantjes, met aan weerskanten van dat glinsterende heuveltje een in de vorm van een staafje geslepen diamant die een brug vormde naar de cirkel waar iets in gegraveerd stond.

Hoewel zijn doelloos gravende vingers de ring van minstens vijftien centimeter diepte omhoog hadden gehaald, keek hij om zich heen alsof hij verwachtte dat de eigenares vlak naast hem zou staan.

Maar ze waren zich aan het invetten, ze waren hun kinderen aan het afdrogen, ze zaten in kleine spiegeltjes kijkend hun wenkbrauwen te epileren, ze zaten met gekruiste benen en bungelende borsten aan de lage tafeltjes waarop de ober van het restaurant slaatjes en flessen witte wijn voor hen had neergezet. Hij ging met de ring naar het restaurant; misschien had iemand gemeld dat hij iets kwijt was. De restauranthoudster deinsde achteruit alsof hij een heler was die haar gestolen goed aanbood. Het is een dure ring. Breng hem maar naar de politie.

Achterdocht leidt tot waakzaamheid; misschien was er hier in deze plaats in het buitenland een reden om achterdocht te koesteren. Zelfs tegen de politie. Als niemand de ring opeiste, zou iemand van hier hem in zijn zak steken. Dus wat maakte het uit: hij stak hem in zijn eigen zak, of liever, in de schoudertas waar zijn geld, zijn creditcards, zijn autosleuteltjes en zijn zonnebril in zaten. Toen ging hij terug naar de zee en ging weer op de stenen liggen, tussen de vrouwen. Om na te denken.

Hij zette een advertentie in de plaatselijke krant. *Ring gevonden op Blue Horizon Beach, op dinsdag de eerste,* met het telefoonnummer van het hotel en het nummer van zijn kamer. De restauranthoudster had gelijk, er kwamen veel telefoontjes. Enkele van mannen die beweerden dat hun vrouw, moeder, vriendin inderdaad een ring verloren had op dat strand. Als hij ze vroeg de ring te beschrijven, waagden ze een gokje: een diamanten ring. Maar als hij nadere bijzonderheden vroeg, werden ze vaag. Als de vrouwestem de vleierige, temende (soms zelfs huilerige) toon had van een niet meer jonge oplichtster, brak hij het gesprek af zodra ze haar verloren ring probeerde te beschrijven. Maar als het een aantrekkelijke, soms duidelijk jonge, zachte, stem was, zelfs een beetje aarzelend, ondanks de brutale leugens, vroeg hij de bezitster naar het hotel te komen om de ring te identificeren.

Beschrijft u hem eens.

Hij zette hen op een gemakkelijke stoel voor zijn open balkondeur, zodat het licht van de zee onderzoekend in hun gezicht scheen. Maar een van hen overtuigde hem dat ze werkelijk een ring had verloren, ze beschreef hem tot in de kleinste bijzonderheden en verontschuldigde zich toen ze wegging dat ze hem had lastig gevallen. Anderen – sommigen heel charmant of zelfs buitengewoon aantrekkelijk, gekleed om te verleiden – zouden zich tevreden hebben gesteld met een andere afloop van hun bezoek, als ze met hun verzonnen beschrijving van een ring de mist in zouden gaan. Een ring is een ring, schenen ze te redeneren: als hij waardevol is, moeten er diamanten in zitten. Enkelen waren zo slim te zeggen dat er inderdaad ook andere stenen in zaten, maar het was een erfstuk (grootmoeder, tante) en ze wisten niet precies hoe die stenen heetten.

Maar de kleur? De vorm?

Ze gingen weg alsof ze zich beledigd voelden; of ze giechelden schuldbewust, ze hadden het gewoon maar eens geprobeerd, het was een lolletje. En het was heel moeilijk om hen beleefd de deur uit te werken.

Toen belde er een vrouw met een stem die anders klonk dan alle andere, de beheerste stem van een zangeres of een actrice, misschien een beetje aarzelend. Ik had de hoop al opgegeven. Dat ik hem nog zou vinden... mijn ring. Ze had de advertentie gezien en gedacht: ach nee, het heeft geen zin. Maar als er zelfs maar een kans van één op een miljoen was... Hij vroeg haar naar het hotel te komen.

Ze was minstens veertig, een geboren schoonheid met grote, rustige, grijsgroene ogen, die geen kunstgrepen nodig had, behalve om haar pauwzwarte haar op kleur te houden. Het groeide in een geprononceerde punt op haar ronde voorhoofd en ze droeg het in een wrong opgestoken op haar kruin. Het glansde als gladgestreken veren. Er was geen plooi te zien tussen haar stevige, een beetje uit elkaar staande borsten, in de hals van een jurk die even zwart was als haar haar. Haar handen waren voor ringen geschapen. Ze spreidde de lange vingers en duimen, keerde de palmen naar buiten: en toen was hij weg. Ik zag hem nog net even glinsteren in het water.

Beschrijf hem eens.

Ze keek hem recht aan, wendde toen haar hoofd af om die ogen van haar op iets anders te richten en begon te spreken: heel bewerkt, zei ze, platina en goud... het is moeilijk, weet u, om iets dat je al zo lang draagt dat je er niet meer naar kijkt nauwkeurig te beschrijven. Een grote diamant... meer dan een. En smaragden en rode stenen... robijnen, maar ik geloof dat die er al uit waren gevallen voordat...

Hij ging naar de la van de schrijf- annex toilettafel van het hotel en haalde een envelop onder de foldertjes vandaan waarin restaurants, programma's van de kabeltelevisie en de beschikbare roomservice beschreven werden. Hier is uw ring, zei hij.

Haar hand zweefde langzaam, als onder water, naar hem toe. Ze nam de ring van hem aan en probeerde hem om de middelvinger van haar rechterhand te schuiven. Hij paste niet, maar ze corrigeerde de beweging behendig als een goochelaar en hij gleed om haar ringvinger.

Hij ging met haar uit eten en het onderwerp werd niet meer aangeroerd. Nooit meer. Ze werd zijn derde vrouw. Ze verzwijgen niet meer dingen voor elkaar dan andere echtparen doen.

MIJN VADER TREKT DE WIJDE WERELD IN

• • •

De huizen staan voor de privacy met hun lengte van de dorpsstraat afgewend, maar ze zijn beschilderd met krullen en guirlandes van fruit en bloemen. Bloeiende wingerds hangen als wasgoed boven het toelopend perspectief van de smalle veranda's. Tomaten en margrieten verstrengelen zich met elkaar achter houten hekjes. Dicht op elkaar, in een sleuf van een tuin, staan hokken en kooien voor kippen en eenden; en er is een varken. Maar niet in het huis waar hij vandaan kwam, daar zal geen varken zijn geweest.

Het postkantoor is van planken gebouwd en heeft een sierrand van houtsnijwerk onder het dak – het vignet van de posterijen is overal en in elke taal herkenbaar, hoewel dit nog uit de tijd voor de luchtpost stamt, geen gestileerde vogel, maar een gebogen posthoorn met koord en kwasten. Hier vandaan moeten de brieven zijn verstuurd om zijn overtocht te regelen. Er staat een bankje voor, waarop een oude vrouw erwten zit te doppen. Ze draagt een zwart hoofddoekje en een schort en ze heeft de liploze gesloten mond van iemand die tanden mist. Hoe oud? De leeftijd van een vrouw die het zonder hormoonpillen, haarkleurstalen van de kapper, crèmes tegen zonnebrand en rimpels moet stellen. Zij pakte zijn koffer voor hem. De kleren van een koud land, hij had geen andere. Ze verstelde zijn goed en stopte sokken. En wat nog meer? Een pet, een jas. Een jongen van dertien bezat waarschijnlijk nog geen afgedankt pak. Of misschien hadden ze er speciaal een voor hem aangeschaft, voor de reis, voor de toekomst.

Door paarden getrokken karren klepperen en ratelen door de straten. Wagens rijden zwaaiend op het ritme van hun span trekpaarden met op hun hoeven hangend haar over de wegen tussen de steden, en dwingen het verkeer van auto's en bussen tot een tempo van een andere eeuw. Hij werd op een van die wagens gehesen met zijn koffer. Hij droeg het pak; in elk geval de pet. Schoenen die pas nog waren gelapt door een familielid wiens vak dat was. Er moet een schoenmaker onder hen zijn geweest; dat was de andere mogelijkheid die voor hem openstond: hij had schoenmaker kunnen worden, maar had gekozen voor horlogemaker. Ze moeten hem hebben uitgerust met het loepje, de miniatuur schroevedraaiertjes en schroefjes, de veertjes, de flinterdunne horlogeglaasjes, die moeten ook in zijn koffer hebben gezeten. En enkele religieuze attributen. De sjaal, de dingen die om zijn arm en voorhoofd moesten worden gewonden. Die zou ze niet hebben vergeten, hij was dertien, ze hadden hem in elk geval thuis gehouden en te eten gegeven tot hij volgens hun godsdienst een man was.

Op het station zingen de zigeuners in de bar. Het is avond. Om de trein hangt een nevel van stoom in de herfstkou en hij zou daar ergens kunnen staan naast zijn koffer, wachtend tot hij kan instappen. Misschien heeft ze hem tot hier weggebracht, maar dat is niet waarschijnlijk. Toen hij op de wagen klom was dat voor haar het einde. Ze heeft hem nooit teruggezien. De man met de baard, het hoofd van de familie, was er wel. Hij was degene die voor het treinkaartje en de overtocht per schip had gespaard. Er is geen afscheid: er is geen plaats voor verdriet te midden van de dronkemansvreugde van de zigeuners in de bar, de houten keet staat te gloeien van hun hitte, een haard in de donkere nacht. De man met de baard zal zijn zoon vergezellen tot de zee, waar het oude leven eindigt. Hij zal een plekje voor hem zoeken, ergens onder in het schip, hij zal hem de kaartjes en stukjes papier geven die aan de toekomst zullen vertellen wie de jongen was.

We hadden gerookte paprikaworst en slivovitsj meegenomen voor de reis – het gezelschap was te groot voor een auto dus was het aardiger om met de trein te gaan. Omringd door gewatteerde geweerhoezen en in reliëf bewerkte leren foedralen, gaven we zingend de fles door en bulderden van het lachen om elkaars opmerkingen. De Fransman had een nest zilveren kroesjes ter grootte van een vingerhoed en sneed de worst naar zijn duim toe, gebruik makend van een mes met een hoornen heft dat hij in de souvenirwinkel van het hotel in de hoofdstad had gekocht. De Engelsman probeerde Cobbetts *Rural Rides* te lezen, maar het boek lag op zijn schoot. De witte drank maakte zijn huwelijksleed in hem wakker, dat hij toevertrouwde aan een vrouw die hij nooit eerder had ontmoet.

Rusteloos geworden door al het plezier, liepen mensen de coupé in en uit, telkens een aanzwellend rumoer van de rijdende trein en een vlaag frisse lucht binnenlatend. Als je je voorhoofd tegen het raam in de gang drukte, waren er buiten alleen bomen en nog eens bomen, de bocht van een rivier met een rottende boot erin, de stervende Oosteuropese zomer, ver van de zon.

Weer binnen om het feestje voort te zetten: er werd geapplaudisseerd voor iemand die een fles wijn te voorschijn toverde, iemand anders kreeg plagerig les in het fotograferen met een nieuwerwets fototoestel. Op de stations van steden waar niemand naar keek – dezelfde terreinen met fabrieken en schroothopen waar spoorlijnen overal in de wereld waar wij vandaan komen ook doorheen lopen – stapten plaatselijke bewoners in. Ze zaten op koffers in de gangen. Een man keek aldoor naar binnen en we waren in de stemming om op de een of andere manier een plaatsje voor hem vrij te maken in de coupé. Geen van ons sprak de taal van het land en hij sprak de onze niet, maar door de wijn en de worst ontstond er onmiddellijk een verraste uitwisseling: we praatten tegen hem, of hij ons kon verstaan of niet, en hij haalde zijn schouders op en glimlachte met de opgetogen vertwijfeling van iemand die in het gezelschap van buitenlanders met stomheid is geslagen. Hij maakte alleen zijn positie duidelijk door de slivovitsj weg te wuiven – dat was een drank die buitenlanders zich natuurlijk verplicht voelden te drinken. En toen we hem vergaten en zaten te redetwisten over een vreemdsoortige kaart die de staatsjachtorganisatie ons had gegeven – hij was niet etno- of geografisch, maar toonde de spreiding van water- en landwild in het gebied dat we naderden – betrapte ik hem erop dat hij ons een voor een zat op te nemen en probeerde te ontdekken uit wat voor leven we kwamen, niet wetend, omdat hij de signalen niet kende, of hij ons met afgunst, cynisme of lichte spot moest bezien. Hij viel in slaap. En ik bestudeerde hèm.

Er was niemand van het jachthuis aanwezig om ons van het station te halen in het dorp dat op de kaart met een kringetje was aangegeven. Het was nacht. Herfstig koud. We stonden te wachten en stampten met onze voeten, wat een avontuur. Er was geen stationschef. Een telefooncel, maar wie konden we bellen? Alles inbegrepen: u zult overal worden begeleid door een tolk en een gids – dus we hadden er niet aan gedacht het telefoonnummer van het jachthuis op te schrijven. Er stond een houten keet in het donker in een waas van dik, geel licht en lawaai. Een kroeg! De mannen van het gezelschap gingen erheen om zich bij de enige mannenclub te voegen die overal ter wereld wederzijds lidmaatschap erkent. De vrouwen wisten niet zeker of ze welkom zouden zijn, je moet je aan de gewoontes van een land aanpassen, in het ene kun je topless rondlopen, in het andere ben je onfatsoenlijk als je een broek draagt. De Engelsman pendelde heen en weer om verslag uit te brengen. Er was een wild feest aan de gang daarbinnen, ze moesten iets aan het vieren zijn, ze behoorden tot een soort broederschap, zwartharig, ongeschoren, dronken. We zaten op onze bagage in de nevel van stoom die de trein had achtergelaten, in een zich vaag aftekenende stolp, verlicht door het schijnsel uit de kroeg, en onze wereld viel abrupt weg aan de rand van het perron. Niets. Een onbekend stadium van een reis naar een onbekende bestemming, die we ons plotseling niet meer konden voorstellen.

Een oude auto kwam door de plassen het emplacement van het station op rijden. De manager van het jachthuis kwam eruit tuimelen als een coureur. Hij droeg een groene vilthoed met insignes en veertjes in het lint. Hij sprak onze taal, ja. Het is niet goed daar, zei hij, toen de mannen van ons gezelschap uit de kroeg kwamen. Pas op je zakken. Zigeuners. Ze werken niet, het enige dat ze doen is stelen en kinderen maken, opdat de regering ze telkens weer geld moet geven.

De maan op zijn rug.

Een van de eerste dingen die hij zal hebben opgemerkt toen hij aankwam, was dat de maan op het zuidelijk halfrond verkeerd om ligt. De zon komt ook daar in het oosten op en gaat in het westen onder, maar de enige andere zekerheid waar je altijd op kunt rekenen, dat dezelfde hemel die het dorp overspant de hele aarde overspant, is verdwenen. Geen sterker bewijs van hoe ver je van huis bent, als je opkijkt, de eerste nacht.

Misschien had hij op het schip een paar woorden opgepikt. Misschien kwam iemand die een jaar of wat eerder was vertrokken hem afhalen. Hij werd op een trein gezet die twee dagen lang door wijngaarden en bergen reed en toen door de woestijn. Maar lang voor het schip aankwam, moet hij het al te warm hebben gehad in zijn pak, op weg naar het zuiden. Op de hoogvlakte kwam hij bij de goudmijnen aan waar hij aan een bloedverwant werd toevertrouwd. De bloedverwant was te trots geweest om over de post uit te leggen dat hij te arm was om de jongen in huis te nemen, maar de vrouw maakte het hem duidelijk. Hij ging met het horlogemakersgereedschap dat hij had meegekregen naar de mijnen. En toen? Hij sprak blanke mijnwerkers aan en verving balansen en gebroken wijzerplaten, 'klaar terwijl u wacht', hij ging naar de mijnkampen waar zwarte mijnwerkers de trotse bezitters waren geworden van horloges, de handboeien van hun nieuwe slavernij, de ploegendienst. Hier, in hun eigen land, waren ze migranten, weggetrokken van huis, net als hij. Ze kenden maar een paar woorden van de taal, net als hij. Toen hij Engels oppikte, pikte hij ook het bondige jargon van het Engels en hun eigen talen op dat aan de mijnwerkers werd geleerd, zodat ze werkopdrachten konden verstaan. *Fanagalo*: 'Doe dit, doe het zo.' Een vocabulaire van bevelen. Hij wist dus al meteen dat hij weliswaar arm was en een buitenlander, maar wel blank, hij sprak zijn gebroken Engels vanuit de positie van iemand die bevelen geeft aan mensen die bevelen uitvoeren: de eerste aanduiding van wie hij nu was. De horloges van de zwarte mijnwerkers waren trouwens meestal goedkoop, niet de moeite waard om te repareren. Ze konden een nieuw kopen voor de prijs die hij voor de reparatie zou moeten vragen. Hij kocht een kleine voorraad Zobo-zakhorloges en ventte ermee langs de kampen van de zwarte mijnwerkers. Hij werd dus dank zij de zwarten zakenman: nog een aanduiding.

Zobo's waren dikke knollen met een stevige ring bovenaan, die luid tikkend door de tijd banjerden. Hij had een werkplaats met een dak van golfplaat en een werkbank in een van de hoeken, waar hij horloges, klokken, verlovings- en trouwringen verkocht. De blanke mijnwerkers waren de mensen die de gewoonte hadden verlovingen luister bij te zetten met op afbetaling gekochte sieraden. Ze beloofden zoveel per maand te betalen; op de laatste vrijdag, als ze hun loon hadden gekregen, kwamen ze met een drankkegel uit de bar van het hotel. Hij leerde zichzelf boekhouden en ging met grote schulden de depressie van de jaren dertig in.

Hij was toen getrouwd en had kinderen. Misschien hadden ze aangeboden een meisje naar hem toe te sturen, een meisje van thuis met wie hij in zijn eigen taal zou kunnen vrijen en dat zou koken volgens de voedingswetten. Het was de gewoonte dat te doen onder mensen die uit de dorpen kwamen: hij had zich vast wel kunnen veroorloven de overtocht te betalen. Maar ook al wisten ze misschien dat hij niet meer in het plaatijzeren hutje achter de werkplaats woonde, waar hij had geslapen toen hij net zakenman was geworden, ze zouden zich vast niet kunnen voorstellen hoe hij nu in het hotel woonde, waar de blanke mijnwerkers dronken en waar hij vlees at dat door zwarten was toebereid. Hij nam zangles en werd opgenomen in de plaatselijke vrijmetselaarsloge. Boven het cilinderbureau in het kantoortje achter zijn nieuwe winkel met het uithangbord HORLOGEMAKER, JUWELIER & ZILVERSMID, hing een ovalen portretfoto in een vergulde lijst waar hij op stond in de voorschoot van zijn rang bij de vrijmetselaars. Hij zette een nieuwe stap: hij dong met succes naar de hand van een jonge vrouw die Engels als moedertaal sprak. Uit het dorp waarboven de maan andersom stond kwam er als huwelijkscadeau alleen een reep grijs linnen met zijden borduursel van bloemen en krullen. De oude vrouw die op het bankje zat, moest het lang geleden hebben gemaakt en bewaard voor de te verwachten gelegenheid, want ten tijde van het verre huwelijk was ze al blind (schreef iemand). Gewond tijdens een pogrom – was dat een veronderstelling, een overdrijving van de ellende daarginds, waarmee de mensen die dat alles achter zich hadden gelaten probeerden een dramatische voorstelling van een ontsnapping te geven? Staar was aannemelijker, daar in dat dorp, waar geen arts was om haar te opereren. De kleindochters ontdekten het borduurwerk weggestopt achter naar lavendel geurende handdoeken en kussenslopen in de linnenkast van hun moeder en gebruikten het als vloerbedekking voor hun poppenhuis.

De Engelse echtgenote speelde piano en de kinderen zongen om haar heen, maar hij zong niet. De lessen waren klaarblijkelijk stopgezet. Soms vertelde ze lachend aan haar vriendinnen dat iemand tegen hem had gezegd dat hij een lichte bariton had, en dat hij op concerten van de vrijmetselaars ballades had gezongen op woorden van Tennyson. Alsof hij wist wie Tennyson was! Tegen de tijd dat de jongste dochter nieuwsgierig werd naar de foto die achter het bollende glas neerkeek op zijn kantoor, ging hij al niet meer naar de bijeenkomsten van de vrijmetselaars. Hij was een keer tegen de garagemuur aan gereden toen hij thuiskwam van zo'n gelegenheid. De aangerichte schade werd elke keer dat de sfeer tussen hen gespannen was, weer ter sprake gebracht. Maar misschien gaf hij zijn rang ook op omdat zijn vrouw, als hij na zo'n bijeenkomst in het donker naast haar in bed kroop, zich met haar niet weg te cijferen walging afwendde van zijn whiskywalm. Als de gebedsriemen en het keppeltje ergens werden bewaard, dan hadden de kinderen ze nooit gezien. Op Grote Verzoendag ging hij naar de synagoge om te vasten en twee maal per jaar, op de sterfdagen van de oude mensen in het dorp dat zijn vrouw en kinderen nooit hadden gezien, ging hij er ook heen, om een kaars te branden. Een zwakke vlam; wie waren ze? Tijdens hun echtelijke ruzies riep zijn vrouw dat ze vuil en onwetend waren. Ze moest ergens iets hebben gelezen en gebruikte dat om hem te kwetsen: jullie sliepen als dieren rond een kachel, jullie stonken naar knoflook, jullie wasten je maar één keer in de week. De kinderen wisten hoe verachtelijk het was om ongewassen te zijn. En hij, in woede ontstoken, kende de allerverachtelijkste categorie in haar land, ons land.

Je praat alsof je het tegen een kaffer hebt.

De stilte in koude landen als de winter nadert. Op een modderig eilandje, op de plek waar een zandpad door een dorp zich splitst als twee lokken nat haar, staat nog steeds een oorlogsmonument dat is gekroond met het embleem van een vergaan keizerrijk dat het land eens heeft bezet en is opgevolgd door nieuwe en nog weer nieuwe bezetters. Onder deze of verscheidene van die bezettingen leefden ze, repareerden schoenen of horloges, aten knoflook en sliepen rond de kachel. Op het kerkhof leunen de zerken tegen elkaar aan en zakken dieper weg in de grond terwijl de ene bezetting en revolutie de andere opvolgt, de Zobo-horloges tellen ze af; de oude vrouw die erwten dopte op de bank en de man met de baard op de kade liggen in graven die stuk voor stuk gedenktekens zijn, want het schrift waarin hun namen staan geschreven is dat van een taal die hij is vergeten en die zijn dochters nooit hebben geleerd. Als de school uitgaat, strijkt een zwerm kinderen als een vlucht duiven neer rond het monument. Hoe is het mogelijk dat je ze niet kunt verstaan terwijl ze je giechelend aanstaren en – de brutaalsten – vragen stellen. Net als bij de man in de trein maken hun toon, de uitdrukking op hun gezicht, hun nieuwsgierigheid de betekenis van wat ze zeggen duidelijk.

Wie ben je?

Waar kom je vandaan?

Een kaart van Afrika, met een stok in de modder getekend.

Afrika! De kinderen herkennen het, ze stoten elkaar aan en staan te dansen. Ze komen dichterbij. Een van hen trekt aan de goudkleurige ring in het oor van een klein meisje, donker met dik krullend haar als een poedel. Ze wijzen: goud.

Die anderen wisten van het goud, lang geleden: voor de armen en vertrapten is er altijd het idee van goud dat ergens anders te vinden is. Daarom hebben ze hem weggestuurd toen hij dertien was en volgens hun geloof een man.

Om vier uur 's middags bloedt de oude maan een rode glans in de grijze hemel. In het bos ligt een dik kleed van gevallen eikebladeren respectvol op de bodem gespreid, als veren van de dode fazanten die aan de riemen van de drijvers bungelen. De drijvers naderen over de uitgestrekte maïsvelden onder het eerste licht van de maan. De geweren prikken in zijn stralenkrans. Waar ik wacht, apart, uit de weg, verscholen, hoor ik het zachte gedruis van de angst van kleine dieren. Het geritsel van hun veren die langs takjes en bladeren strijken. De klokkende geluidjes om de jongen te verzamelen, het plotselinge piepen van angst als de mannen met hun zwaaiende stokken de vluchtende prooi voor zich uit drijven: ze vluchten nu hier- dan daarheen, maar overal zijn mannen met stokken en mannen met geweren. Ze hebben vleugels, maar durven niet op te vliegen en zich te vertonen, ze konden nergens heen vluchten, uit het dorp de velden in, terwijl de mannen onverbiddelijk naderden, de hoeven van een kozakkenpaard, klaar om wegkruipende hoofden te trappen, de stoot van een bajonet die een man optilt aan zijn hart als een stuk vlees aan een vork. De dood nadert en er is geen uitweg. Blindheid veroorzaakt door vuur of kogels en nergens een uitweg te zien, erwten doppen op de tast. Knallende schoten en een wild, wanhopig gefladder overal om me heen, ik hurk neer, wegduikend voor het lawaai en de aanblik, alleen maar een toeschouwer, alleen maar een toeschouwer, smeek ik, maar de kozakkenhoeven reden over die ongelukkige smekelingen heen. Een vogel stort dood neer, raakt mijn schouder voor hij op het zachte bed van bladeren naast me valt.

Zes bladeren uit het land van mijn vader.

Toen ik hem in zijn winkel leerde kennen als iemand anders dan een schoot om op te zitten, snauwde hij de zwarte man aan de andere kant van de toonbank af, die de vloer veegde en boodschappen deed, en gooide hem onwillig zijn weekloon toe. Ik zag dat er iemand bestond die bang was voor mijn vader. Een kind begrijpt angst en de pijn en haat die angst met zich meebrengt.

Ik raapte de bladeren op om hun mooie herfstkleuren, niet om een sentimentele reden. Dit dorp waar we het staatsjachthuis hebben gehuurd, is niet het dorp van mijn vader. Ik weet niet waar dat, in zijn land, lag, ik ken alleen de naam van de havenplaats waaruit hij is vertrokken. Ik heb hem nooit naar zijn dorp gevraagd. Hij heeft me er nooit over verteld of ik heb er niet naar geluisterd. Ik heb de bladeren in mijn hand. Ik wist niet dat ik ze zou vinden, hier in dit bos, de drijvers die naderen, naderen dwars over de wereld.

SOMMIGEN ZIJN VOOR 'T GELUK GEBOREN

• • •

Some are born to sweet delight
Some are born to Endless Night.

• • •

WILLIAM BLAKE – *Auguries of Innocence*

Ze namen hem in huis. Sinds hun zoon een contract had getekend voor anderhalf jaar op zee, op een booreiland, stond zijn kamertje leeg en ze konden de huur goed gebruiken. De vader was portier en door het contact van het galon van zijn uniform met de jassen en aktentassen die hij weghing voor de leden van de club, was hij uit louter loyaliteit doordrongen geraakt van het besef dat er gevaar dreigde van bommen onder de auto's van parlementsleden en financiers. 'Daar heb ik geen moeite mee,' had de vader gezegd, toen de eigenaars van het huis waarin het gezin de flat in het souterrain huurde als voorwaarde stelden: 'Geen Ieren'. Maar discriminatie van andere buitenlanders uit het vroegere Britse imperium was tegen de principes van de eigenaars van het huis, die ook de werkgevers van de moeder waren – drie maal in de week schoonmaken en oppassen zolang de drie jongens, die ze als haar eigen kinderen beschouwde, klein waren. Ze konden dus een goede indruk op 'boven' maken door de kamer aan die jonge man te verhuren, een buitenlander, die waarschijnlijk op andere adressen die op een prikbord in de supermarkt stonden geadverteerd, was geweigerd. Hij was heel schoon en netjes en hij bleef niet in de keuken rondhangen in de hoop dat ze hem zouden vragen een hapje mee te eten, zoals iemand van hun eigen soort zou doen. Hij lonkte niet naar Vera.

Vera was zeventien. Ze werkte als administratief medewerkster op een kantoor en had goede vooruitzichten; haar vader had haar een baantje kunnen bezorgen bij een belangrijke firma, dank zij de vriendelijkheid van een van de heren op de club. Een woord in het juiste oor: en nu was het aan haar om secretaresse te worden, misschien op een dag zelfs privé-secretaresse van iemand als de heren van de club, en te reizen, naar het vasteland, Amerika – de hele wereld.

'Je moet je netjes kleden voor zo'n bedrijf. Laat anderen hun achterwerk maar tonen...'

'Pap!' De flat was klein, de muren dun – stel dat de huurder hem had gehoord. Haar pupillen werden groot en ze bloosde, half van verlegenheid, half van ergernis. Op vrijdag- en zaterdagavond droeg ze T-shirts met graffiti van lovertjes op de borst en ging met vriendinnen naar de discotheek, maar ze had wel de roze kant van haar haar eruit moeten laten groeien. Zondags zaten ze met plagerige jongens op houten banken voor de pub en dronken gemberbier. Een keer was het echt bier met iets erdoor en ze was er dronken van geworden, maar haar vader werkte die dag als portier bij een feestje van particulieren en haar moeder was met de kinderen van boven naar de dierentuin gegaan, zodat niemand haar hoorde overgeven in de badkamer.

Dacht ze.

Híj stond in de keuken toen ze er, het slijm van haar hikkende mond vegend, binnenkwam om water te drinken. Hij sprak haar altijd aan met 'miss' –'Goedemiddag, miss.' Hij stond zelf een glas met water te vullen.

Ze bleef staan waar ze stond. De zure lucht vulde haar mond en neus, verspreidde zich in de richting van de vreemde, de buitenlander, ze moest geen stap dichterbij komen. Haar misselijkheid en tranen werden overstemd door schaamte. De schaamte draaide haar maag om, haar keel sperde zich open en ze kon net op tijd de gootsteen bereiken om een laatste restje tussen haar tanden vermalen pizza vermengd met spijsverteringssappen en bier uit te braken. 'Ga weg. Ga weg!' Haar hand vloog afwijzend naar achteren. Ze zette beide kranen open om haar schande weg te spoelen. 'Duvel op!'

Hij stond naast haar in die walgelijke stank en hij had een doek natgemaakt en veegde haar gezicht af, haar besmeurde mond, haar tranen. Hij nam haar bij haar arm en bracht haar naar een stoel bij de keukentafel. En ze wist dat mensen als hij niet eens dronken, dat hij waarschijnlijk zelfs nog nooit alcohol had geroken. Als het iemand van haar eigen groep was geweest, zou het iets anders geweest zijn.

Ze begon weer te huilen. Heel zachtjes, langzaam, legde hij zijn hand op de hare, nam haar pols in bezit als een dokter die aanstalten maakt de hartslag te volgen in het ritme van iemands pols. Langzaam – in zíjn tempo – werd ze rustiger. Ze keek zonder haar hoofd te bewegen naar beneden, naar de hand. Langzaam trok ze haar eigen hand eronder vandaan, een afscheid.

Toen ze de keuken uit ging wisselden ze een paar frases, onbeduidende echo's van wat er met haar was gebeurd – gaat het weer, ja het gaat wel weer, weet je het zeker, ja echt. Ze sliep zo vast dat ze haar ouders niet hoorde thuiskomen en zei de volgende ochtend dat ze griep had.

Hij kon niet langer een onopgemerkte aanwezigheid in huis blijven, voor wie er geen plaats was in de aandacht die ze aan haar werk gaf en aan de vrienden die ze maakte onder de andere jongere personeelsleden, en, in haar vrije tijd, aan de discotheek en de bioscoop waar de plaatselijke jongens haar hand vasthielden en seksuele avances maakten. Hij zei haar goedendag als ze elkaar tegenkwamen in de gang tussen de afdeling van het gezin en zijn kamertje, of het niet konden vermijden elkaar te passeren bij het hek van het tuintje met de bloeiende geraniums van haar moeder, waarin de lege melkflessen 's morgens werden buitengezet. Hij zei niet meer 'miss'; het was alsof het achterwege blijven van dat woord een geruststelling was: maak je geen zorgen, ik zal het niemand vertellen, *hoewel ik heel goed weet wat je doet,* alles. Ik zal niet over je kletsen met mijn vrienden – had hij wel vrienden? Haar moeder had haar verteld dat hij in de keuken werkte bij een chic restaurant – haar moeder moest er zeker van zijn dat een huurder een geregeld inkomen had, voor ze hem in huis kon nemen. Vera zag andere buitenlanders als hij in de stad, in onsamenhangende groepjes, alsof ze niet wisten waar ze heen moesten. Ze kwamen natuurlijk niet in de disco en ze maakten geen deel uit van de groep bekende gezichten in de bioscoop. Ze waren samen maar zagen eruit alsof ze alleen waren. Het was iets dat ze opmerkte zoals ze ook, zonder te verwachten die te kunnen doorgronden, de vreemde uitdrukking zou kunnen opmerken van een gekooid dier, ver van het land waar het thuishoorde.

Ze was hem een teken verschuldigd als dank voor zijn betrouwbaarheid. De volgende keer dat ze elkaar in huis tegenkwamen, zei ze: 'Ik heet Vera.'

Alsof hij dat niet wist, alsof hij haar naam nooit door haar vader en moeder had horen roepen. Opnieuw reageerde hij precies goed. Hij knikte alleen beleefd.

'Ik heb jouw naam nooit goed gehoord.'

'Onze namen zijn moeilijk voor jullie. Noem me maar Rad.' Zijn Engels klonk stijf, hij sprak elke lettergreep afzonderlijk uit met een zachte stem.

'Is dat een afkorting van iets?'

'Hoe bedoel je?'

'Een roepnaam. Bob in plaats van Robert.'

'Zo iets, ja.'

Ze maakte op de enige manier die ze kende een eind aan deze ontmoeting op een nieuwe voet: 'Nou, tot kijk,' de vage groet waarmee ze afscheid nam van haar vriendinnen, zonder dat er een bepaalde afspraak was gemaakt wanneer ze elkaar weer zouden zien. Maar op een zondag kwam ze het huis uit op weg naar de pub, om te kijken wie er daar waren; en toen ze het trapje uit het souterrain op liep, zag ze hem in het tuintje. Hij zat kranten te lezen, er lagen er drie of vier op een stapeltje naast hem op het modderige gras. Ze herinnerde zich zijn naam en gebruikte hem voor het eerst, moeiteloos, als een sleutel die omdraait in een geolied slot. 'Hallo, Rad.'

Hij stond op van de stoel die hij uit zijn kamer mee naar buiten had genomen. 'Ik hoop dat je moeder het niet erg zal vinden. Ik had het willen vragen, maar ze is niet thuis.'

'Ma? O nee, dat vindt ze best, die stoel is al oud, van een beetje frisse lucht wordt hij heus niet gammeler dan hij al is.'

Ze stond op het korte tuinpad, hij stond naast de oude rotan stoel. Toen ging hij zitten, zodat ze weg kon gaan zonder onbeleefd te lijken: zij vrij om naar haar vrienden te gaan, hij om verder te lezen.

Ze zei: 'Ik zal het haar niet vertellen.'

Nu was het er dus uit, het geheim dat alleen tussen hen beiden bestond in het huis van het gezin. En ze lachten, glimlachten, allebei. Ze ging naast hem staan. 'Heb je vandaag vrij? Je werkt toch in een restaurant? Hoe is het daar?'

'Ik moet vanavond werken.' Hij zweeg een ogenblik en hield zijn hoofd naar opzij met een uitdrukking van hooghartige verveling. 'Het is werk. Je moet nemen wat je krijgen kunt.'

'Ja, dat is zo. Maar als je in een restaurant werkt, krijg je waarschijnlijk in ieder geval je maaltijden erbij.'

Hij keek even uit over het hek, zijn blik van haar afgewend. 'Ik eet dat soort eten niet.'

Ze voelde ineens een hevige tegenzin om weg te gaan, het hek uit, de hoek om, de straat uit naar The Mitre waar haar nieuwe gebloemde bermuda met gefluit en waarderende kneepjes zou worden begroet, in de wetenschap dat zijn zwarte ogen haar de hele weg zouden volgen, hoewel hij zijn krant zou zitten lezen en haar al lang zou zijn vergeten. Om tijd te winnen keek ze naar de kranten. Het blad dat hij in zijn hand hield was Engels. Op de andere, die op de grond lagen, zag ze een vloeiend schrift van slingertjes en krullen, het geheim van de taal van iemand anders. Ze kon niet naar de pub gaan, kon het niet verdragen dat hij wist dat ze daarheen zou gaan. De leugentjes die goed genoeg waren voor haar ouders, voldeden niet voor hem. Maar in feite was er geen leugen: ze ging niet naar de pub, ineens was ze niet van plan erheen te gaan.

Ze ging op de sportpagina's van de Engelse krant zitten, die hij opzij had gelegd, en kruiste haar benen onder haar blote ronde knieën in de vorm van een X. 'Goed nieuw van thuis?'

Hij wees met zijn voet naar de kranten in zijn geheime taal. Zijn blote voet had iets intiems, een tweede geheim.

'Uit mijn land komt geen goed nieuws.'

Ze begreep dat dit iets met de politiek daar te maken moest hebben – politiek vervulde haar met ontzag, ze wist er niets van, daar stond ze buiten. 'Dus daarom ben je weggegaan.'

Er was geen antwoord nodig.

'Weet je, ik kan het me niet voorstellen hoe dat is, om weg te gaan.'

'Je wilt je vrienden niet in de steek laten.'

Ze begreep de toespeling, trok een kinderlijk gezicht, wuifde hen weg. 'Pap en mam... alles.'

Hij knikte alsof hij meeleefde met haar ingebeelde verlies, maar liet niets los over wat hij zelf moest hebben verloren.

'Maar ik zou dolgraag willen reizen. Ik bedoel, daarvoor heb ik deze baan genomen. Andere landen zien – alleen voor een bezoek, weet je wel. Als ik zorg dat ik mijn werk goed doe en zo, dan krijg ik die kans misschien nog eens. Er is een secretaresse bij ons op kantoor die overal mee naar toe gaat met haar baas, ze brengt altijd voor iedereen souvenirs mee, ze is erg royaal.'

'Je wilt de wereld zien. Maar nu zitten je vrienden op je te wachten.'

Ze schudde zijn volharding met een lach van zich af. 'En jij wil graag naar huis.'

'Nee.' Hij keek haar aan met de afstandelijkheid van een volwassene in het aangezicht van de onschuld van een kind. 'Nog niet.'

Het gezag van zijn stemming over de hare, dat die keer in de keuken was gevestigd, was ook nu aanwezig. Ze gedroeg zich eerder aarzelend en nederig dan koket, toen ze over iets anders begon te praten. 'Zullen we... wil je een kop thee, als ik het zet? Mag je dat drinken?' Hij had nooit een maaltijd in het huis gebruikt, misschien was hun voedsel taboe voor hem volgens zijn godsdienst, zoals die gratis maaltijden die hij niet kon eten in het restaurant.

Hij glimlachte. 'Ja, dat mag.' En hij stond op en liep op zijn slanke voeten met haar mee naar de keuken. Door de alledaagse taak van thee zetten en kopjes klaar zetten, werd die vorige keer in de keuken weggewist alsof iemand een doek over haar moeders schone tafel en gootsteen haalde. Ze liet hem de kruidkoek snijden: 'Toe dan, probeer het maar, mijn moeder heeft hem zelf gebakken.' Ze keek glimlachend en vol spanning toe terwijl zijn mooie tanden in de zachte kruimelende substantie beten. Hij knikte, gaf ernstig met volle mond zijn goedkeuring te kennen. Ze deed hem na en knikte en glimlachte ook; en als een ree die een blaadje nadert, nam ze de geurige plak waar zijn tanden een halve cirkel uit hadden gebeten uit zijn hand en nam er een hapje van.

Vera ging niet meer naar de pub. Eerst kwamen ze haar zoeken – haar vriendinnen, de meiden – en niemand geloofde haar uitvlucht toen ze niet mee wilde. Ze hing zondags thuis rond, hielp haar moeder. 'Heb je ruzie gehad of zo?'

Zoals ze altijd tegen haar beste vriendin zei, had ze geluk met haar moeder, ze was niet streng of achterdochtig zoals sommige andere moeders die ze kende. 'Nee, mam. Dat is het niet. Maar het is altijd hetzelfde, we praten altijd over dezelfde dingen, elk weekend weer.'

'Ach ja... dat bewijst dat je volwassen wordt, je krijgt belangstelling voor andere dingen – dat is heel natuurlijk. Je zult nieuwe vriendinnen vinden, interessantere vriendinnen die beter bij je passen.'

Vera luisterde of hij op zijn kamer was of dat hij naar zijn werk had gemoeten – zijn werktijden bij het restaurant waren onregelmatig, zoals ze had ontdekt door bij te houden wanneer hij wel en niet thuis was. Hij was heel stil, luisterde nooit naar de radio of cassettebandjes, maar ze kon het altijd voelen als hij thuis was, op zijn kamer. Het was dat jaar voor de verandering echt zomer en als hij niet werkte, nam hij de oude rotan stoel mee naar buiten en ging zitten lezen of zat met gestrekte benen achterover geleund met zijn gezicht in de vochtige zon. Waarschijnlijk dacht hij aan zijn eigen land. Het zou er heel heet zijn, stelde ze zich voor, de huizen leken op dikke witte kubussen met palmbomen ernaast. Ze ging naar buiten met een plaid – het was tenslotte heel gewoon dat iemand wilde zonnebaden in zijn eigen tuintje – en babbelde met hem, schijnbaar alleen omdat hij daar nu eenmaal zat. Ze keek naar hem terwijl zijn ogen van rechts naar links het krullerige schrift van zijn krant volgden, en als hij even ophield, gaapte, zijn hoofd tegen de leuning liet rusten en zijn ogen sloot tegen het licht, kon ze hem vragen stellen over thuis – zijn thuis. Hij beschreef straten en steden en cafés en bazaars – het leek helemaal niet op haar voorstelling van een woestijn en oases. 'Maar zijn er palmen?'

'Ja, nachtclubs, paleizen van de rijken om aan de toeristen te laten zien, maar er zijn ook fabrieken en concentratiekampen en arme mensen die van een handvol bonen per dag leven.'

Ze plukte aan het gras: o, ja. 'Was jij... was je familie... houd je van bonen?'

Hij liet zich niet uit de tent lokken, hij liet zich nooit uit de tent lokken.

'Als je ze goed klaarmaakt, zijn ze lekker.'

'Als we ze een keer kopen, wil je ons dan leren hoe je ze klaarmaakt?'

'Ik zal ze voor jullie klaarmaken.'

Daarom zei Vera op een zondag tegen haar moeder dat Rad, de huurder, een maaltijd voor hen wilde koken. Haar ouders waren geroerd: aardig, dat was een tactvolle manier om zijn dankbaarheid te tonen, zo'n sombere jongen, hij had nooit eerder iets laten blijken. Haar vader was bereid genoegen te nemen met eten dat hem waarschijnlijk niet goed zou bekomen. 'Andere mensen andere zeden. Misschien is dat een gewoonte bij hen als je ze in je huis opneemt, zoals je hier een bloemetje meeneemt.' De maaltijd was een succes. Het was een heerlijke schotel, niet te gekruid; in de kruidkoek zaten tenslotte ook kruiden. Toen haar vader een fles bier openmaakte en bij Rads bord neerzette, haalde Vera die vlug weg. 'Hij drinkt niet, pap.'

Een vriendelijk gebaar vroeg om een vriendelijk antwoord. Vera's moeder vroeg hem terug: 'Je moet een keer op zondag met ons meeëten: mijn kip met appeltaart toe.'

Maar de uitnodiging was van dezelfde orde als 'nou, tot kijk'. Er werd niet meer over gepraat. Op een zondag schudde Vera het gras van haar plaid. 'Ik ga een eindje lopen.' En de huurder stond langzaam op uit zijn stoel en legde zijn krant weg. Ze liepen het hekje uit. De buren hadden haar vast met hem gezien. De twee gingen waarheen zij voorging, hoewel ze naast elkaar liepen, losjes, zoals ze jonge mannen van zijn soort had zien doen. Ze liepen een heel eind, door allerlei straten en toen een park in. Ze vond het leuk naar de mensen te kijken die aan het vliegeren waren. Nu was hij degene die haar gadesloeg terwijl ze keek. Het scheen zijn manier te zijn om haar beter te leren kennen, om wat dan ook te leren kennen. Het was niet de manier van de andere jongens, die van haar eigen soort, maar hij was tenslotte een buitenlander hier, er zouden zo veel dingen zijn die hij moest ontdekken. Een ander weekend kwam ze op het idee een picknick mee te nemen. Dat betekende dat ze de hele dag weg zouden blijven. Ze pakte appels in en brood met kaas – dacht eraan dat hij geen ham at – terwijl haar moeder toekeek. Er heerste stilte tussen hen. In die stilte lag haar moeders besef van het verwijt dat ze Vera, zoals die heel goed wist, zou moeten maken: Vera 'zat achter een man aan', deze man. Haar moeder zei alleen: 'Gaan er nog meer mee?' Ze loog niet. 'Nee. Hij is nog nooit op de rivier geweest. Het leek me leuk om een eindje te gaan varen.'

Na verloop van tijd begon ze de bioscoop te missen. Zonder enige bijbedoeling vroeg ze hem of hij deze of gene film had gezien. Ze nam aan dat hij, als ze hem hoorde uitgaan 's avonds, naar de film ging met vrienden – mensen als hij – die ze nooit te zien kreeg. Wat deden ze dan, als ze niet naar een film gingen? Niet naar de kroeg natuurlijk, en ze wist instinctief dat hij zich niet in een disco zou vertonen, ze kon zich hem niet met schokkend lijf en stampend onder flikkerende gekleurde lichten voorstellen.

Hij had geen van de films die ze opnoemde gezien. 'Zullen we erheen gaan?' Het ging net als met die eerste wandeling. Hij keek haar weer net zo aan als toen. 'Ja?'

'Wat is ertegen? Iedereen gaat naar de film.'

Maar ze wist waarom niet. Ze zat plechtig naast hem in de bioscoop. Het was anders dan al haar eerdere bezoeken aan dat bekende filmpaleis. Hij hield haar hand niet vast: de enige keer was toen in de keuken. Ze gingen geregeld samen naar de bioscoop. De stilte tussen haar en haar ouders werd dieper, haar moeder was als een kwetterend vogeltje in een kooi waar iemand een doek over heeft gegooid. Wat haar vader en moeder ook dachten, wat ze ook vreesden – er was niets gebeurd, er gebeurde niets tot die keer, het was een officiële feestdag, toen Vera en de huurder allebei vrij hadden en ze een van hun lange wandelingen naar buiten maakten (het was het enige dat ze konden doen, hij deed niet aan sport en er was geen enkele activiteit met andere jonge mensen waar hij van hield). Op die vrije dag ter gelegenheid van een koninklijke verjaardag of een kerkelijk feest, die hem niets zouden zeggen, in het hoge gras onder hoge bomen, bedreef hij voor het eerst de liefde met Vera. Hij had haar daarvoor zelfs nog nooit gekust, noch op de avonden dat ze samen naar huis liepen na de film, noch op de keren dat ze alleen thuis waren geweest en het duidelijk was dat dit een goede gelegenheid was, zoals het discrete tikken van de keukenklok dat door de lege gang klonk en het blinde oog van de televisie in de zitkamer aangaven. Alles wat hij nog nooit met haar had gedaan, werd nu met onstuitbare hartstocht begonnen en volbracht, als opgeroepen door een simpel bevel dat hij zichzelf had gegeven. Tussen nu en die keer, maanden geleden, toen hij in de keuken zijn hand op de hare had gelegd, was er niets gebeurd. Nu gaf hij haar de lippen waaruit ze als een ree een stukje koek had genomen dat was aangeraakt door zijn speeksel, gaf hij haar het naakte lichaam dat haar door die eerste glimp van een naakte voet was beloofd. Ze was geen maagd meer, net als alle andere schoolmeisjes was ze tussen haar veertiende en haar vijftiende een paar keer half tegenspartelend door een onhandige jongen uit de buurt in een auto of een achterkamertje geneukt. Maar nu werd ze overwonnen, verbijsterd, overweldigd door een sensualiteit die haar volkomen verraste: een rijk talent, even nieuw, even onverwacht als wanneer iemand van wie ze wist dat hij geen stem had, plotseling zou zijn losgebarsten in gezang. Ze huilde van liefde voor deze man die door louter toeval, het had net zo goed nooit kunnen gebeuren, bij haar was gekomen, haar had gevonden, van zo ver weg. Ze huilde omdat het haar bang maakte dat het maar zo weinig had gescheeld of het was nooit gebeurd. Hij droogde haar tranen, hij kleedde haar aan, met de troostende berusting in haar gevoelens waarmee een moeder een kind zou bejegenen dat zich te veel heeft opgewonden.

Ze had geen hoop dat ze voor haar moeder zou kunnen verbergen wat ze deden, ze wist dat haar moeder het wist. Haar moeder voelde hoe ze laat in de nacht zachtjes uit haar kamer kwam en door de gang naar de kamer van de huurder sloop, waar het nog rook naar haar broer, en 's morgens in de vroegte terug sloop. In het donker kende Vera elke krakende plank, wist ze hoe ze moest voorkomen dat haar pyjama langs een muur ritselde. Bij het krieken van de dag zag ze een schuin vallende zonnestraal naar binnen gluren door een raam dat, zoals ze nu pas ontdekte, zo was geplaatst dat het elke fase van de weg die de zon langs de hemel aflegde, binnenliet. Alles was veranderd.

Wat had haar moeder kunnen zeggen? Misschien had hij andere woorden in zijn taal, maar de enige woorden die zij en haar moeder kenden, waren niet geschikt, waren niet bedoeld voor een situatie waarin hun leven niet had voorzien. *Weet je wel wat je aan het doen bent? Weet je wat hij is? We hebben niets tegen ze, maar toch. Hoe moet dat nou verder? Hoe moet dat nou met die mooie baan die je vader je heeft bezorgd? Wat zullen ze ervan denken op je werk?*

De onschuldige bevrijding van haar sensualiteit gaf het meisje een gezag waarmee ze de wet voorschreef in huis. Ze bracht hem nu binnen om aan tafel mee te eten; hij at wat hij mocht eten. De ouders kenden een dergelijke aanwezigheid, in de code van hun soort mensen, alleen als het signaal van een 'verloofde' dochter die haar aanstaande mee naar huis brengt. Maar uiterlijk hielden Vera en haar ouders de fictie in stand dat zijn positie nog steeds die van een huurder was, een huurder die op de een of andere manier, in die hoedanigheid, deel was gaan uitmaken van het gezin. Hij hoefde niet te veinzen of een rol te spelen. Hij veroorloofde zich nooit vrijheden jegens hun dochter, praatte tegen haar met dezelfde terughoudendheid die hij, als vreemde, jegens hen betrachtte. Wanneer hij en het meisje van tafel opstonden om samen uit te gaan, gedroeg hij zich altijd alsof hij zonder belangstelling, op haar instigatie, met haar meeging.

Omdat haar vader een man was, al was hij dan al oud en haar vader, herkende hij de macht van die sensualiteit in een vrouw, die zo hardnekkig was dat hij zich erdoor verslagen, geïntimideerd voelde. Híj kon haar niet over die zaak aanspreken, dat moest haar moeder doen. Hij maakte er ruzie over met zijn vrouw. Dus riep zij haar dochter ter verantwoording. *Hoe moet dit aflopen?* Het meisje begreep heel goed wat ze bedoelde: hij gaat terug naar zijn land, en waar blijf jij dan? Als hij genoeg heeft van wat hij van je wil, laat hij je vallen.

Hoe moest het aflopen? Tegenwoordig erkende Rad nu en dan haar bestaan als hij onder zijn vrienden was – hij bleek inderdaad een paar vrienden te hebben, ja, jonge mannen zoals hij, uit zijn land. Hij en zij kwamen hen tegen op straat en in plaats van zich, zoals hij vroeger had gedaan, te excuseren en met hen te gaan staan praten terwijl zij gehoorzaam bleef wachten als een hondje dat door zijn baas voor de supermarkt is vastgebonden, nam hij haar nu mee naar hen toe; en als hij even had staan praten, onderbrak hij zichzelf, alsof hij zich plotseling haar aanwezigheid herinnerde, en stelde haar voor: 'Dit is Vera.' Aan de manier waarop ze haar begroetten en naar haar keken, merkte ze dat hij hun toch over haar had verteld en dat maakte haar gelukkig. Ze maakten opmerkingen in hun eigen taal en ze wist zeker dat sommige daarvan op haar sloegen. Al was ze dan de pub, de disco, haar ouders ontgroeid, ze werd aanvaard, hoorde ergens anders bij.

En toen ontdekte ze dat ze zwanger was. Ze had geen vriendin met wie ze kon praten, die geen dingen zou zeggen als: hij zal teruggaan naar zijn land, zodra hij genoeg heeft van wat hij van je wil, laat hij je vallen.

Na de tweede maand kocht ze spullen bij de drogist en testte haar urine. Toen ging ze naar een dokter omdat dat doe-het-zelf-ding het mis zou kunnen hebben.

'Ik dacht dat je zei dat er niets kon gebeuren.'

Dat was alles wat hij na even nagedacht te hebben zei, toen ze het hem vertelde.

'Maak je geen zorgen. Ik vind er wel wat op. Ik doe er iets aan. Het spijt me, Rad. Denk er maar niet meer aan.' Ze was bang dat hij zou ophouden van haar te houden: haar uitdrukking voor vrijen.

Toen ze die nacht aarzelend naar hem toe ging, streelde hij haar mooier en ernstiger dan ooit, onder het vrijen.

Ze herinnerde zich dat ze in een of ander vrouwenblad had gelezen dat het gevaarlijk was 'het' (zo dacht ze aan haar zwangerschap) nog te laten weghalen als het ouder was dan drie maanden. Door hier en daar te informeren vond ze een arts die abortussen uitvoerde en maakte een afspraak met hem. Ze gebruikte haar vakantiegeld om het honorarium dat hij vroeg te betalen.

'Tussen twee haakjes, zaterdag is het allemaal voorbij. Ik heb iemand gevonden.' Bedeesd bracht ze die week het onderwerp dat ze had vermeden weer ter sprake.

Hij keek haar aan alsof hij heel goed nadacht voor hij iets zei, buiten haar om, in zijn eigen taal, zoals hij vaak deed, wist ze. Misschien was hij het vergeten... het was ook eigenlijk haar verantwoordelijkheid, haar schuld, natuurlijk. Toen zei hij het woord dat ze nog geen van beiden hadden uitgesproken: 'De baby?'

'Ja...' Ze wachtte, gaf het toe.

Hij nam haar niet in zijn armen, hij raakte haar niet aan.

'Je moet de baby houden. We gaan trouwen.'

Ze riep onhandig, ongelovig, ontsteld van vreugde: 'Je wilt met me trouwen?'

'Ja. Je wordt mijn vrouw.'

'Hierom? Om de baby?'

Hij keek haar ernstig aan, liet zijn ogen over haar heen glijden. 'Omdat ik jou heb gekozen.'

Omdat hij een buitenlander was, drukte hij zich natuurlijk anders uit dan een Engelsman zou doen.

En ik houd ook van jou, zei ze, ik houd van je, ik houd van je... beloften stamelend door haar tranen heen. Hij legde zijn hand op een van de hare, zoals hij in de keuken van haar moeders huis had gedaan, één keer en daarna nooit meer.

Ze zag een stelletje uit een miniserie hand in hand voor hen staan om het te vertellen: 'We gaan trouwen'...omhelzingen en gelach.

Maar ze vertelde het haar ouders alleen, zonder hem erbij. Dat was veiliger, dacht ze, voor hem. Ze koos woorden die zijn goede bedoelingen bewezen, een triomfantelijk antwoord op de uitgesproken en onuitgesproken waarschuwingen van haar moeder: 'Rad gaat met me trouwen.'

'Wil hij met jou trouwen?' verbeterde haar moeder haar. Het kwam eruit als een hoge kreet. De vader wierp een boze blik naar zijn vrouw.

Nu zou het tafereel moeten gaan lijken op dat met de tv-ouders. 'We gaan trouwen.'

Haar vaders hoofd kwam met een ruk omhoog en zakte langzaam op zijn borst. Hij wendde zich af.

'Je wilt met hem trouwen?' Haar moeder legde haar handpalm op haar borst om de slag te bedekken.

Het meisje vloeide over van emotie, probeerde hen erin te betrekken.

Haar vader schudde zijn hoofd als een zieke hond.

'En ik ben zwanger en hij is er blij mee.'

Haar moeder keek haar vader aan, maar van die kant kwam er geen hulp. Ze zei ongeduldig, met vlakke stem: 'Dat is dus de reden.'

'Nee, dat is helemaal niet de reden.' Ze wilde niet tegen hen zeggen: 'Ik houd van hem', ze wilde hun niet de kans geven dat te bederven, te proberen haar er beschaamd over te maken. 'Ik wil het gewoon.'

'Ze wil het gewoon.' Haar moeder sprak tegen haar vader.

Hij moest iets zeggen. Hij maakte een gebaar naar het lichaam van zijn dochter, waaraan nog niets te zien was van het leven dat daarbinnen groeide. 'Dan zit er niets anders op.'

Toen het meisje de kamer uit was, keek hij zijn vrouw woedend aan.

'De vuile schoft.'

'Stil. Stil.' Er was een baby op komst, het arme schaap.

En inderdaad, het nieuwe leven waarnaar de vader had gewezen in Vera's lichaam, veranderde alles. De buitenlander, de huurder – ze moesten nu aan hem denken als hun schoonzoon, Vera's verloofde – zei tegen Vera en haar ouders dat hij haar naar zijn land wilde sturen, zodat zijn ouders haar konden ontmoeten. 'Naar je land?'

Hij antwoordde met de ernst waarmee men, beseften ze, in zijn land het huwelijk bezag: 'De bruid moet kennis maken met de ouders. Ze moeten haar kennen zoals ik haar ouders ken.'

Als er nog iemand aan zijn ernstige bedoelingen had getwijfeld, dan moest die zich nu schamen voor zijn twijfel: hij stuurde haar naar zijn land, openlijk en trots, zijn buitenlandse, om door zijn ouders te worden geaccepteerd. 'Maar heb je het ze verteld van de baby, Rad?' Ze stelde die gênante vraag niet waar haar ouders bij waren. 'Wat denk je? Daarom ga je juist.' Hij hield zich in, voegde er toen aan toe: 'Het is een kind van onze familie.'

Nu zou ze dus eindelijk op reis gaan! Dat kwam er nog bovenop, naast al haar andere vreugde! Haar verlangen naar Rad, die nu openlijk haar kamer met haar deelde, en de trots waarmee ze haar collega's uitlegde waarom ze juist nu met vakantie ging, brachten haar in een voortdurende staat van opwinding, en ze nam elke gelegenheid waar om vroegere vriendinnen tegen te komen die ze tot dan toe had gemeden. Om te vertellen dat ze op reis ging om kennis te maken met de ouders van haar verloofde, dat ze over een paar maanden ging trouwen, dat ze een baby verwachtte – ja – het was nu duidelijk te zien aan de ronding onder de gebloemde jumpsuit dat ze droeg om het beter te laten uitkomen. Ook voor haar moeder werd het feit dat ze een schoonzoon kreeg die niet een van hen was eerder een eer dan een schande. 'Onze Vera heeft altijd geweten wat ze wou. De wereld is aan het veranderen. Ze is er het meisje niet naar om precies hetzelfde leven te willen leiden als wij hebben gedaan.' Het enige dat niet was veranderd in de wereld was de vreugde over de komst van een kindje. Vera was opgewonden, ze waren allemaal opgewonden bij de gedachte aan een baby, een eerste kleinkind. O, wat zou díe worden verwend. De aanstaande grootmoeder was aan het breien geslagen, hoewel Vera lachte en zei dat baby's dat soort dingen tegenwoordig niet meer droegen, haar kind zou van die fel gekleurde uniseks pakjes krijgen. Ze hadden een aanbetaling gedaan op een kinderwagen die een kleine prins of prinses waardig was.

Aangezien de aanstaande echtgenoot het zich kon veroorloven zijn bruid helemaal naar zijn land te sturen, alleen om zijn ouders te ontmoeten voor het huwelijk zou plaatsvinden, gingen ze ervan uit dat hij, ondanks de achterstelling van jonge mannen als hij in dit ongastvrije land, promotie moest hebben gemaakt in het horecawezen. 'Boven' was ingenomen met het nieuws. Boven kwam op een avond naar beneden met een fles champagne om op Vera, die ze al haar hele leven kenden, en haar vriend te klinken – ze lachten allemaal vrolijk toen de aanstaande echtgenoot alle glazen vulde en voor zichzelf vervolgens een glas sinaasappelsap inschonk. Zelfs de portier had er genoeg vertrouwen in om aan een van de heren op de club te vertellen dat zijn dochter ging trouwen, maar eerst naar het buitenland zou gaan om kennis te maken met de ouders van de jongen. De kinderen van zijn heren waren voortdurend op reis, zijn oren vingen elke dag flarden van bestemmingen op: 'stel je voor, op de fiets door China' – 'twee maanden in Peru, heel aardig...' – 'aan het snorkelen bij het Barrièrerif, volgens de laatste berichten'. *Naar haar toekomstige schoonouders, in een land met palmen en woestijnen*; niet slecht!

De ouders wilden een feestje geven voor ze wegging, een gecombineerd verlovings- en afscheidsfeestje. Vera dacht aan een stel van haar oude vrienden samen met vrienden van hem aan wie hij haar had voorgesteld en met wie hij, zoals ze wist, soms nog zijn tijd doorbracht (ze verwachtte niet dat hij haar mee zou nemen, dat was geen gewoonte bij hen en bovendien verstond ze hun taal niet). Maar hij scheen het feestje geen goed idee te vinden. Ze had haar vakantiegeld nog – als ze eraan dacht waarom ze dat oorspronkelijk had opgenomen, nu de baby zijn aanwezigheid in haar buik duidelijk liet voelen, kon ze het niet van zichzelf begrijpen – en ze vroeg hem voortdurend wat voor cadeautjes ze voor zijn familie zou kunnen meenemen – zijn ouders, zijn zusters, zijn broers, ze had al hun namen geleerd. Hij zei dat hij daarvoor zou zorgen, hij wist wat hij voor ze moest kopen. Toen de dag van haar vertrek naderde, had hij het nog steeds niet gedaan. 'Maar ik wil pakken. Ik moet weten hoeveel ruimte ik moet vrijlaten, Rad!' Hij kocht wat mannenkleren waar ze niet over kon oordelen en een paar jurken en sjaals die ze niet mooi vond, maar dat durfde ze niet te zeggen, ze nam aan dat zijn zusters een heel ander soort kleren mooi zouden vinden dan wat zij graag droeg, het was maar goed dat zij ze niet had uitgezocht.

Ze wilde niet dat haar moeder haar naar het vliegveld bracht, ze zouden allebei te emotioneel worden. Weggaan van Rad was op een vreemde manier anders. Ze ging niet weg van Rad, maar ging, zwanger van zijn kind, naar het mysterie toe dat Rad was, dat in Rads stiltes was, in de blinde manier waarop hij de liefde met haar bedreef, waarop hij naar haar keek als hij nadacht in zijn eigen taal, zodat ze zijn gedachten niet in zijn ogen kon volgen. Het zou allemaal duidelijk worden als ze op de plaats aankwam waar hij vandaan kwam.

Hij moest werken op de dag van haar vertrek, tot het tijd was haar naar het vliegveld te brengen. Twee van zijn vrienden, die ze nauwelijks van de anderen in de groep die ze nu en dan had ontmoet kon onderscheiden, kwamen met hem mee om haar af te halen met de taxi die een van hen bestuurde. Ze hield Rads hand vast, een stijve dubbele vuist rustte op zijn dij terwijl de mannen in hun eigen taal met elkaar praatten. Bij het vliegveld lieten de anderen hem alleen met haar naar binnen gaan. Hij gaf haar nog een pakje, een op het laatste ogenblik gekocht cadeautje voor thuis. 'O, Rad. Waar moet ik dat laten? Op het kaartje staat dat ik maar één stuk handbagage mee mag nemen.' Maar ze kneep in zijn arm om te laten merken hoe blij ze was dat hij aan zijn familie dacht. 'Het kan er wel bij... voorzichtig, voorzichtig.' Hij ritste haar reistas open toen ze in de rij stonden voor de balie. Ze knielde met gespreide knieën om plaats te maken voor haar buik, en hielp hem. 'Wat zit er eigenlijk in? Het kan toch hoop ik niet stuk gaan?' Hij legde het pakje op een bedje van iets zachts. 'Alleen wat speeltjes voor het kind van mijn zuster. Plastic.' 'Ik had het in mijn koffer kunnen stoppen... o, Rad... waar moet ik nou plaats vinden voor de belastingvrije spullen!' In haar opwinding wendde ze zich tot de rij voor de vlucht van het Amerikaanse lijntoestel waarmee ze het eerste deel van haar reis zou afleggen. Deze medepassagiers waren een ander soort buitenlanders, Amerikanen, maar ze had het gevoel dat ze hen allemaal kende: ze zouden allemaal meereizen met haar geluk, zij zou ze meenemen.

Ze omhelsde hem met al haar kracht en hij hield haar tegen zijn lichaam gedrukt; ze kon zijn gezicht niet zien. Hij keek haar na toen ze door de douane ging en ze bleef telkens staan om te wuiven, maar ze zag dat Rad niet kon wuiven, niet kon wuiven. Hij kon haar alleen nakijken tot ze uit het gezicht verdween. Ze zag hem in haar verbeelding nog steeds naar haar kijken, net als die keer in het begin, toen ze het gevoel had gehad dat hij haar de hele weg zou kunnen zien, als ze naar de pub ging op zondagochtend.

Boven zee explodeerde het vliegtuig in de lucht. Alle inzittenden kwamen om. De zwarte doos werd van de zeebodem gevist en het bleek dat er een explosie had plaatsgevonden in de cabine van de toeristenklasse en dat er brand was uitgebroken; daarmee eindigde de boodschap, stilte, de desintegratie van het vliegtuig. Niemand weet of alle passagiers op slag dood waren of dat enkele van hen levend in zee terecht waren gekomen en verdronken. Het onderzoek naar de ramp duurde een jaar. De achtergrond van alle passagiers en de omstandigheden waaronder elk van hen op reis was gegaan, werden nagegaan. Er werden enkele arrestaties verricht, mensen werden vastgehouden voor verhoor en weer losgelaten. Ze waren onschuldig – maar het waren wel buitenlanders natuurlijk. Toen deed zich nog eenzelfde soort ramp voor, gevolgd door een verklaring van een groep met een apocalyptische naam die een factie vertegenwoordigde van de mensen die onrecht lijden op de wereld, en die de verwoesting van beide vliegtuigen opeiste als een of andere gecompliceerde wraak die verband hield met heilige oorlogen, de annexatie van land, invasies, arrestaties, overvallen over de grens, conflicten over grondgebied, bomaanslagen, het tot zinken brengen van schepen en ontvoeringen, dingen die alleen ingewijden konden begrijpen. Een lid van de groep, een jonge man die naast allerlei andere schuilnamen de naam Rad gebruikte, had in de bagage van de dochter van de mensen bij wie hij inwoonde, en die zwanger van hem was, een bom geplaatst. Een plastic bom, gemaakt van een soort plastic dat niet kan worden ontdekt door de gebruikelijke veiligheidsprocedures op de vliegvelden.

Vera was uitgekozen.

Vera had hen allemaal meegenomen, had de baby die in haar groeide meegenomen, mee naar de diepte, met haar geluk.

KAMERADEN

• • •

Toen mevrouw Hattie Telford op het knopje drukte dat de alarminstallatie in haar auto uitschakelde, naderde er een groepje jongeren achter haar. Zwarten. Maar ze hoefde niet bang te zijn, dit was geen straat in de stad. Dit was een non-raciale enclave van de wetenschap, een plaats waar de beschaving in de vorm van goed verzorgde bloembedden en bomen met bordjes waarop hun botanische naam te lezen stond de barbaarsheid afdekte waar campusbewakers en hun honden aan herinnerden. De jongelui maakten net als zij zelf deel uit van de menigte die zich aan het verspreiden was na een op de universiteit gehouden conferentie over Volksonderwijs. Zij waren degenen die onderwezen moesten worden; zij zelf was lid van een comité van blanke en zwarte activisten (een handige verzamelnaam voor revolutionairen, wereldlijke en kerkelijke aanhangers van links, sympathisanten en liberalen) op het podium.

'Kameraad...' Toen ze achter het stuur ging zitten, kwam een van hen, zo klein en tenger dat het leek of je hem van opzij zag, naar haar raampje toe. Hij putte moed uit de vriendelijke manier waarop de vrouw haar wenkbrauwen optrok boven blauwe ogen en hem haar met sproeten bezaaide blanke gezicht toekeerde. 'Kameraad, gaat u toevallig naar de stad?'

Nee, ze moest de andere kant op, naar huis... maar ze besloot snel, geheel in de geest van de grote zaal waar deze jonge mensen ergens hadden gezeten, samen met haar (nee, zij met hen) aanwezig waren geweest, hadden gestampt en vrijheidsliederen gezongen, om hen naar het busstation te brengen dat de jongen noemde.

'Stap maar in!'

De anderen kropen op de achterbank, de woordvoerder ging naast haar zitten. Ze zag het nerveuze wit van zijn ogen toen hij even naar haar keek en zijn blik weer afwendde. Ze probeerde iets te bedenken om over te praten om hen op hun gemak te stellen. Vragen stellen natuurlijk. Oudere mensen beginnen altijd vragen te stellen aan jongeren. Kwamen ze uit Soweto?

Ze kwamen uit Harrismith, locatie Phoneng.

Ze rekende het uit: ongeveer tweehonderd kilometer. Hoe waren ze hierheen gekomen? Hoe hadden ze van de conferentie gehoord?

'We zijn van het Jeugdcongres in Phoneng.'

Een delegatie. Ze waren met de bus gekomen, een van de groepjes laatkomers die lang nadat de conferentie was begonnen nog waren komen binnendruppelen. Dan hadden ze de gratis lunch zeker gemist?

Achterin leken ze zelfs niet te ademen. De woordvoerder moest een woordeloze communicatie met hen hebben gehad, een verplichting voelen om het woord voor hen te doen, tot stand gekomen door de reis of een andere gedeelde ervaring in de geheimzinnige verbondenheid van jongeren – deze jongeren. 'We hebben honger.' En vanaf de achterbank voelde ze hun instemming, als lucht die wordt aangezogen in een vacuüm.

Gedurende de tijd die nodig was om twee keer adem te halen, reageerde zij ook met stilte. Dit soort grote bijeenkomsten stimuleerde haar, maar tegelijkertijd voelde ze zich verschrikkelijk blootgesteld, open en kwetsbaar voor de wrijving en de onrust van de menigte die langs rijen stoelen schuifelde en over de gangpaden banjerde, de zachte toffeebruine in de lucht gestoken beentjes van baby's die op hun moeders schoot worden verschoond, kleine meisjes met om hun hoofd gewonden vlechtjes, die zitten te luisteren als oude vrouwtjes, zware vrouwen die meedeinen met het gezang, mannen met felle ondoorgrondelijk zwarte gezichten, die met tedere diepe stemmen de harmonieën overnemen, terwijl ze zingend Gods bescherming afsmeken voor Umkhonto weSizwe, zoals mensen van beide partijen nu eenmaal altijd Gods bescherming opeisen voor hun soldaten en hun oorlogen. Aan het eind van zo'n dag had ze behoefte aan een borrel, had ze behoefte aan de verderfelijke luxe van eenzaamheid en rust, waarin ze (verrijkt – dat wel! – door de dag) zichzelf kon hervinden binnen de vertrouwde grenzen van haar eigen wezen.

Honger. Geen zin in whisky on the rocks met de voeten omhoog. Haar aarzeling was nauwelijks merkbaar geweest. 'Weet je wat, ik woon hier vlakbij, ga met mij mee, dan kunnen jullie bij mij thuis wat eten en dan breng ik jullie daarna naar de stad.'

'Dat is heel aardig van u. Dat willen we heel graag.' En achter in de auto loste het vacuüm van de stilte zich op.

Ze volgden haar door het tuinhek, maar deinsden terug voor de hond – ze verzekerde hun dat hij niets deed, maar hij was groot en had een bewerkte halsband, waaraan ze hem vasthield. Ze liep met hen naar binnen door de keuken omdat ze altijd door die deur het huis binnenging, hoewel ze het niet zou hebben gedaan als ze volwassen waren geweest, zoals haar zwarte vrienden, die met hun kennis van de wereld misschien zouden denken dat de keus voor die deur een onbewuste, historisch bepaalde belediging was. Omdat ze hun te eten ging geven, bracht ze hen niet naar haar zitkamer met zijn banken en bloemen, maar naar de eetkamer, zodat ze meteen aan tafel konden gaan zitten. Het was een met zelfverzekerde goede smaak ingerichte kamer, uiterst sober: een houten vloer, een plafond van hetzelfde goudkleurige hout, een antieke kroonluchter, rieten jaloezieën in plaats van bedompte gordijnen. Een Afrikaanse houten sculptuur stelde een leeuw voor, wondermooi uitgesneden uit zijn al aanwezige vorm in de vlam van een moekwastronk. Ze schoof stoelen bij en liet de vier jongens alleen terwijl ze naar de keuken ging om koffie te zetten en te kijken wat er in de koelkast zat om boterhammen mee te beleggen. Ze hadden op hun weg door de keuken het dienstmeisje in hun gemeenschappelijke taal gegroet, maar toen het meisje en de vrouw des huizes het brood met koud vlees hadden klaargemaakt en koffie gezet, wilde ze plotseling niet dat ze zouden zien dat het meisje haar bediende. Ze droeg het zware blad zelf naar de eetkamer.

Ze zitten om de tafel, zonder iets te zeggen, en wekken niet de indruk dat ze een half fluisterend gesprek hebben afgebroken toen ze haar hoorden aankomen. Ze deelt borden en kopjes rond. Ze staren naar het voedsel, maar hun blik lijkt gericht op iets dat zij niet kan zien, iets dat hen overweldigt. Ze moedigt hen aan: 'Het is alleen maar koud vlees, helaas, maar er is chutney, als jullie daarvan houden... iedereen melk?... is de koffie niet te sterk, ik weet dat ik nogal een royale hand heb met koffie. Wil iemand er misschien nog wat heet water bij?'

Ze eten. Als ze tegen een van de anderen probeert te praten, zegt die: *ekskuus?* En ze begrijpt dat hij geen Engels verstaat, van de talen van de blanken misschien alleen een paar woorden Afrikaans begrijpt, dat wordt gesproken in de provinciestad waar hij vandaan komt. Een van de anderen vertelt haar zijn naam, misschien als fijngevoelig bedankje voor het eten. 'Ik heet Shadrack Nsutsha.' Ze herhaalt de achternaam die ze niet helemaal goed heeft verstaan. Maar hij zegt niets meer. Ze overleggen druk met hun ogen en de woordvoerder houdt haar de lege suikerpot voor. 'Mogen we...' Ze loopt snel naar de keuken en brengt hem gevuld terug. Ze hebben koolhydraten nodig, ze hebben honger, ze zijn jong, ze verbranden hun voedsel snel. Ze maakt zich zorgen over de karigheid van het maal, maar dan valt haar blik op de fruitschaal, haar grote koperen fruitschaal gevuld met appels en bananen, en misschien liggen er een paar perziken onder de wingerdbladeren waarmee ze het eetbare stilleven graag voltooit. 'Hier is fruit. Nemen jullie maar.'

Ze stapelen hun borden en kopjes op elkaar, niet goed wetend wat ze ermee moeten doen in deze kamer, een kamer waar je klaarblijkelijk alleen maar eet, niet kookt, niet slaapt. Terwijl ze de bananen en appels eten (Shadrack Nsutsha had de enige perzik het eerst gezien en zich er meteen op geworpen) praat ze met de woordvoerder, aan wie ze heeft gevraagd hoe hij heet: Dumile. 'Zit je nog op school, Dumile?' Natuurlijk zit hij niet op school – ze zitten geen van allen op school, jongeren van hun leeftijd gaan al jaren niet naar school, zij zijn de kinderen die opgroeien tot jonge mannen en vrouwen voor wie de school een slagveld is, een plaats voor boycots en demonstraties, kennis van politieke retoriek, scholing in de rebellie tegen de noodzaak net zo'n leven te leiden als hun ouders. Ze dragen pompeuze titels en verantwoordelijkheden die niet bij de kindertijd horen: hij is voorzitter van zijn afdeling van het Jeugdcongres, hij is twee jaar geleden van school gestuurd. Omdat hij een boycot had geleid? Stenen had gegooid naar de politie? Misschien de school in brand had gestoken? Kalm, abstract – hij kent niet veel gewone, concrete woorden, maar wel dit soort eufemismen – noemt hij het allemaal 'politieke actie'. Al twee jaar niet naar school? Nee. 'En wat heb je dan al die tijd gedaan?'

Ze geeft hem de kans niet zijn appel op te eten. Hij slikt een groot stuk door en schudt zijn hoofd op zijn dunne kleine-jongensnek. 'Ik heb in de bak gezeten. Zes maanden vastgehouden, vanaf juni.'

Ze kijkt naar de anderen. 'En jullie?'

Shadrack lijkt even te knikken, de andere twee kijken haar aan. Ze had het kunnen weten, ze had het moeten weten, het is een antwoord dat je vaak hoort van jongens als zij, jongens met hun huidskleur. Ze zullen je niet vertellen dat ze voor het eerste cricketelftal zijn gekozen of dat ze in de vakantie een studentenreis naar Europa gaan maken.

De woordvoerder, Dumile, vertelt haar dat hij een schriftelijke cursus wil gaan volgen om het VWO-diploma te halen waar hij twee jaar geleden voor aan het werk was; twee jaar geleden, toen hij nog een kind was, toen hij het haar nog niet had dat nu op zijn gezicht verschijnt, dat hem tot een man maakt, hem zijn kindertijd afneemt. In de aarzelingen, de stiltes aan de tafel, waarop een plasje zenuwachtig gemorste koffie tussen de borden en bananeschillen ligt, groeit de zekerheid dat hij de aanvraagformulieren voor de schriftelijke opleiding nooit zal invullen, dat hij die twee jaar nooit zal terugkrijgen. Ze kijkt naar hen en kan niet geloven wat ze weet: dat zij, zo onverwacht hier in haar huis, daadwerkelijk de AK-47's zullen dragen waarover ze nu alleen zingen, terwijl ze al zingend een pantomime van de dood opvoeren. Hun loopbaan zal bestaan uit het aanbrengen van springladingen onder het chassis van voertuigen, ze zullen weggaan en terugkomen door de bush om gaten te graven, niet om er bomen in te planten die hun huis zullen overschaduwen, maar om landmijnen te leggen. Ze kan zien dat hun een verschrikkelijk kwaad is aangedaan, maar ze kan niet geloven dat ze in staat zijn iemand kwaad te doen. Ze wrijven hun handpalmen, die kleverig zijn van het fruit, heimelijk aan elkaar af.

Ze verbreekt de stilte, zegt iets, om maar iets te zeggen.

'Wat vinden jullie van mijn leeuw? Is hij niet mooi? Hij is gemaakt door een beeldhouwer uit Zimbabwe, Dube heet hij, geloof ik.'

Maar de dwaze onderbreking wordt een onthulling. Dumile onthult met zijn blik – afstandelijk, aarzelend, zwijgend deze keer – wat hen zo heeft overweldigd. Deze kamer, de ruimte, de dure antieke kroonluchter, de bewust sobere keus voor rieten jaloezieën, de sculptuur van de leeuw: ze maken allemaal dezelfde indruk, het zijn ongedifferentieerde en onbegrijpelijke fenomenen. Alleen het eten dat hun honger stilde, was werkelijk voor hen.

TERALOYNA

• • •

Een land voor geiten – we moeten allemaal weg.

Othello is hier geweest.

Dat was het enige waar het geschikt voor was, ons eiland. De geiten. We weten niet na hoe lang, want we weten niet hoe of wanneer we hier zijn gekomen: het moet zijn begonnen met een schipbreuk; we hebben maar één familienaam: Teraloyna. Maar Othello heeft het eiland aangedaan. Ze kwamen met kleine bootjes, zwarte mannen met speren. Maar ze deden ons geen kwaad. We hadden altijd gevist met van boombast gemaakte netten, zij leerden ons de grote vissen die onze netten stukmaakten met een speer te vangen. Ze zijn nooit teruggegaan naar waar ze vandaan kwamen, waar dat ook was. Daarom hadden we toen we weggingen maar enkele kinderen met een rood gezicht en blauwe ogen bij ons: we waren gekleurd, noch erg licht noch erg donker.

We weten niet hoe de geiten hier zijn gekomen. Misschien waren er een paar aan boord voor de melk en zijn ze vanaf het wrak naar de wal gezwommen. Onze geiten waren groot en sterk, ze kregen massa's jongen. Ze hadden veel meer jongen dan wij en ten slotte aten ze het hele eiland op – het gras, de bomen. 's Nachts in onze huizen hoorden we hoe ze alles langzaam opknabbelden met hun lange voortanden. Toen de regens kwamen, was er niets dat onze grond kon vasthouden, hoewel we terrassen hadden aangelegd met stenen. De aarde werd weggespoeld en verdween in de glinsterende zee. We doodden en aten veel geiten, maar ze leefden op gedeelten van het eiland waar we niet konden komen met onze touwen en messen, en er kwamen er elk jaar meer. Iemand herinnerde zich ons – een zeemansverhaal over mensen die nog nooit het vasteland van de wereld hadden gezien? – en we werden gerekruteerd. We vertrokken met onze grootmoeders en de overlevenden van de huwelijken tussen vaders en dochters, broers en zusters (huwelijken tussen moeder en zoon stonden we niet toe, we waren christenen op onze manier, met een overlevering die van onze schipbreuk stamde) en we emigreerden naar al die grote open streken: Amerika, Australië, Afrika. We hielden de straten schoon en groeven dammen en bedelden en stalen en werden net als alle andere mensen. De kinderen vergaten de laatste paar woorden van het dialect van de schipbreuk dat we eens hadden gesproken. Onze meisjes trouwden en droegen niet meer onze naam. Mettertijd namen we dienst in de legers, stonden in de kraampjes die ijs en hot-dogs verkopen, en woonden overal op het vasteland dat de wereld is.

De geiten gingen dood van de honger. Ze konden zich zwemmend vanaf een schip in veiligheid brengen, maar ze konden niet een hele oceaan overzwemmen. De planten- en dierenwereld, voorgoed veranderd door de erosie, heroverden langzaam het eiland: sprietje na sprietje, stap voor stap. Er krijsten zeevogels in plaats van de baby's van mensen. Niettemin was het eiland een bezitting, een van de restanten die moesten worden verdeeld bij de toewijzing van grondgebied door de overwinnaars in een of andere grote oorlog die op het vasteland had gewoed. Maar de Verenigde Staten, Groot-Brittannië en de Sovjetunie hadden geen van allen belangstelling. Door de ligging had het eiland geen enkel nut voor de verdediging van enige scheepvaartroute. Later vonden de weerkundigen van het land waaraan het was gegeven die ligging ideaal voor een weerstation. Dit werd jarenlang met goede resultaten bemand door elkaar aflossende teams meteorologen, die aanvankelijk de lange reis per schip maakten en later, met meer comfort, per vliegtuig.

Elk team blijft een jaar op het eiland en in die tijd maakt het glinsteren van de zee de leden blind voor het vasteland, zoals ook gebeurd was met de mensen die vroeger op het eiland woonden. Een lang jaar. Een vliegtuig brengt elke maand nieuwe voorraden en ze staan via de radio in verbinding met het vasteland, maar – afgezien van de geiten: de eilanders moesten geiten hebben gehouden, er liggen overal beenderen van geiten – hebben de meteorologen niet meer of minder gezelschap dan de vroegere bewoners. Maar dit zijn natuurlijk wel ontwikkelde mensen, wetenschappers, er is een heel redelijke bibliotheek en er zijn cassettes met muziek, zelfs met hele toneelstukken: een lid van een van de teams heeft opnamen achtergelaten van Gielguds Lear en Oliviers Othello – er bestaat een legende dat Othello een keer door de wind naar het eiland is afgedreven en er voor anker is gegaan. Het personeel heeft last van hetzelfde ongedierte als de oorspronkelijke bewoners: teken, muskieten, steeds terugkerende plagen van kleine muizen. Waarschijnlijk om de muizen te vangen maar misschien ook (bij gebrek aan de zachtheid van een vrouw) om iets warms te kunnen strelen wanneer de winterstormen proberen het weerstation te verdrinken in de zee waarin het losgeslagen van de rest van de wereld rond dobbert, heeft een lid van een van de teams een keer twee jonge katjes meegenomen toen hij van het vasteland kwam. Ze sliepen een jaar lang in zijn bed. Iedereen voerde ze lekkere hapjes van de tafel, zo ver verwijderd van elke andere tafel waaraan mensen bij elkaar zitten voor het avondmaal.

Het eiland ligt nergens in de buurt. Maar omdat het 't dichtst bij Afrika ligt, gingen sommige van de oorspronkelijke bewoners, toen ze het tegen het eind van de vorige eeuw verlieten, daar naar toe. Er waren toen al mijnen in het zuiden van het continent en gemeenschappen van het soort vreemdelingen dat wordt aangetrokken door goud en diamanten, niet alleen mijnwerkers, maar ook logement-, kroeg- en bordeelhouders, winkeliers en kooplui. De meeste van de eilanders die naar Afrika gingen, werden dan ook in het zuiden ingezet, en omdat ze alleen maar netten konden maken en geiten hoeden – vaardigheden die niemand nodig had omdat er commercieel geproduceerde netten te krijgen waren voor de vissersvloten met hun bemanningen van gemengd blank, Maleisisch, Indiaas en Khoikhoi bloed, en alleen de zwarten, die zelf voor hun kuddes zorgden, geiten hielden – vonden ze nederige baantjes in deze gemeenschappen. Huwelijken buiten de groep maakten het haar van hun nakomelingen kroezender of steiler, hun huid donkerder of lichter, al naar gelang ze verbintenissen aangingen met zwarten, blanken, of de mensen die ook toen al een aparte groep vormden en werden geclassificeerd als deels het een deels het ander. Die met rode gezichten en blauwe ogen verdwenen natuurlijk onder de blanken, maar soms kwam in een volgende generatie een donkerder kleur weer boven en kwamen ze in een andere categorie terecht, want er waren al categorieën en wetten die voorschreven welke kleur en mate van gekleurdheid waar mocht wonen. De eilanders die werden opgenomen in de donker gekleurde gemeenschappen werden de Khans, de Abramsen, de Kuzwayo's, zij die zich vermengden met de generaties blanken werden de Bezuidenhouts, de Cloetes, de Labuschagnes en zelfs de Churches, de Taylors en de Smiths.

De Teraloyna's zijn een obscure curiositeit in de voetnoten van etnologen. De achternaam komt nog steeds hier en daar voor. Men neemt algemeen aan dat de mensen met die naam van Spaanse of Portugese afkomst zijn, hoewel het enige bewijs hiervoor een vage overeenkomst van de klinkers is. Taalkundigen met belangstelling voor de verbastering van eigennamen in gekoloniseerde landen waar veel verschillende talen worden gesproken, vermoeden dat de naam is ontstaan uit een samentrekking in het pidgin van twee woorden die de waarschijnlijk Franstalige schipbreukelingen gebruikten om te beschrijven waar ze waren beland. 'Terre' – land, en 'loin' – ver: het verre land.

De Teraloyna's bezetten geen twijg aan de stamboom van de blanken. De blanken in dat land zijn nog niet zo ver dat ze met vooruitziende blik uit voorzorg aanspraak maken op een spikkeltje zwart in hun genen; en de zwarten, trots op hun afkomst en zoekend naar een eenheid in hun diverse tinten zwart, laten zich wel voorstaan op een vermenging met het bloed van niet-negroïde inheemse rassen, de Khoikhoi en de San, maar geven zich nooit moeite hun verwantschap aan te tonen met zulke nauwelijks te identificeren bastaardgroepen als de mensen van Sint-Helena (Napoleon werd gedwongen in ballingschap op hun eiland te wonen) of de Teraloyna's. Nakomelingen van de Teraloyna's wier bloed zo is vermengd dat niemand – zij zelf het minst van allemaal – uit de vorm van hun mond en neus en de manier waarop hun haar groeit, of uit hun namen of manier van spreken hun afstamming zou kunnen afleiden, vliegen soms in de business class over hun eiland: diep beneden hen, een en al rimpels en plooien door de erosie, een en al geulen (de ravijnen waar de geiten zo lang hadden standgehouden) en donkere inhammen met een witte rand schuim van de branding langs hun mond. Het staat niet op de gekleurde kaart waarop hun route wordt aangegeven in de folder met informatie over de vlucht die in het zakje van hun vliegtuigstoel zit. Hun eiland; en zij zijn van dat kleine uit de zee stekende stukje aarde geëmigreerd naar het grote open land van Amerika, Australië, Afrika. Ze dommelen in hun stoel.

Als een zekere zwarte timmerman een splinter onder zijn nagel uit trekt, is de druppel bloed die er achteraan komt Teraloyna-bloed. En als een zekere jonge blanke, die meteen na school is opgeroepen voor de militaire dienst, een traangasgranaat op een schoolplein vol zwarte kinderen gooit en wordt geraakt door een geworpen steen, druppelt het levensbloed van Teraloyna uit de gebroken haarvaten.

Het is maar een schrammetje, hij heeft geluk, hij had een van zijn blauwe ogen kunnen verliezen.

Dit jaar zijn er zeshonderd katten op het eiland. Een schatting, misschien zijn het er veel meer, ze planten zich voort in de ravijnen. Hun krolse gejammer klinkt angstaanjagend over de nachtelijke zee. Othello zou vol afgrijzen de steven wenden, weg van een eiland vol demonen. Overlevenden van een schipbreuk zouden nog liever verdrinken dan naar die andere dood toe zwemmen.

In werkelijkheid zijn het echter maar katten, die demonen. Afstammelingen van twee jonge katjes, een mooi zwart poesje met een witte *tache de beauté* op haar wang en een rood-cyperse kater, die met hun klauwtjes de kussens van een van de meteorologen kneedden in zijn eenzame nachten en lekkere hapjes kregen van de enige eettafel die duizenden zeemijlen in de omtrek te vinden was.

De meteorologen hebben het met vergiftigd vlees geprobeerd en, omdat ze nu eenmaal wetenschappers zijn, met het virus van de kattenziekte, die zo dodelijk is voor katten op het vasteland. Maar deze in het wild levende dieren kennen geen vasteland. Elke herinnering aan zachte kussens en lekkere hapjes is verdwenen. Ze zijn het comfort en de afhankelijkheid van de mens, waaraan ze gewend waren, vergeten. Bezwijken aan door mensen bedachte uitroeiingsmethodes zou een vorm van atavisme zijn. Hun gejammer is het enige gekrijs dat op het eiland weerklinkt: ze hebben alle eieren van de zeevogels opgegeten. Ze hebben de reuzenschildpadden gedwongen het gebod van hun instinct om zich langzaam het strand op te slepen om hun eieren te leggen, in hun reptielenwijsheid te negeren. De schildpadden hebben iets geleerd dat ze in de duizenden jaren van de keten van hun bestaan nooit hebben hoeven weten: dat katteklauwen hun eieren zullen opgraven, hoeveel adem ze ook gebruiken – en wat is het een kwelling om buiten het water te ademen – om ze in het zand te begraven. De hazen zijn snel aan het verdwijnen; en zelfs de vlinders: rupselijven zijn melkachtig van binnen en voedzaam.

De meteorologen hebben uiteraard nooit last van muizen. Twee jonge katjes, zo klein en zacht, hebben de ecologie van het eiland bijna verwoest en dat is (nog afgezien van het helse gejammer als ze krols zijn) een pijnlijke zaak voor het team. Wanneer de dierenbescherming hun wreedheid verwijt, omdat ze door middel van een biologische oorlogsvoering dieren een pijnlijke dood bezorgen, voeren de meteorologen tot hun verdediging aan dat de inheemse fauna door deze niet-inheemse diersoort vrijwel is uitgeroeid. Maar dit benadrukt slechts de onverantwoordelijke veronachtzaming van het ecologische evenwicht waaraan men zich in eerste instantie heeft schuldig gemaakt. Waarom waren de katjes niet gesteriliseerd in het geval van de poes en gecastreerd in het geval van de kater (om te voorkomen dat ze zich zouden voortplanten met een wilde kattensoort die op het eiland zou kunnen leven)? Tja, het waren huisdieren, niemand had eraan gedacht, niemand had kunnen dromen wat de gevolgen zouden zijn: een dergelijke onstuitbare vruchtbaarheid op dat eiland zonder vrouwen. Het was eenvoudig niet bij hen opgekomen, zo ver van het vasteland.

Ze staan op het punt een nieuwe methode te proberen.

Er is namelijk sprake van een noodtoestand op het eiland.

Omdat er een zekere sportiviteit aan de oplossing is verbonden – wie zou er anders bereid zijn het te doen? – lag het helemaal niet in de bedoeling dat de kranten erover zouden schrijven, maar door iemands loslippigheid is dit toch gebeurd. Als de jagers goede schutters zijn, zal de dood veel sneller en minder pijnlijk zijn dan die door arsenicum of de kattenziekte. De meteorologen zijn natuurlijk niet het soort mensen dat een sport maakt van schieten, ze kunnen niet met vuurwapens omgaan, dus moeten er anderen worden gevonden om het te doen. Het leger zou de voor de hand liggende keus zijn, maar op het vasteland heerst een ander soort noodtoestand en alle troepen zijn nodig om de grenzen te bewaken, deel te nemen aan preventieve overvallen in buurlanden en zich met traangas, honden en geweren in de uitgestrekte gebieden waar zwarten wonen te legeren. Ze hebben elke jonge rekruut nodig: er zijn stakingen, boycots, prikacties, huurboycots, allemaal zaken waarvoor zwarten de straat op gaan met stenen en zelfgemaakte benzinebommen en soms ook met AK-47-geweren die op de een of andere manier langs de troepen die de grenzen bewaken zijn gesmokkeld.

Maar er zijn duizenden jonge blanken buiten het leger die met vuurwapens kunnen omgaan. Ze zijn maar tijdelijk uit het leger: die gezonde jongens hebben hun eerste opleiding in militaire dienst achter de rug, maar worden telkens voor korte periodes opgeroepen, wanneer er zich een noodtoestand binnen de noodtoestand voordoet. Niemand blijft lang genoeg burger om zijn vaardigheid met een automatisch geweer te verliezen of heeft oefening nodig om raak te schieten. Op bevel en soms ook in paniek hebben ze geschoten op zingende zwarte kinderen, op rouwende groepen zwarten die zich verspreidden na de begrafenis van die kinderen, op vluchtende zwarte relschoppers, op zwarte mannen en vrouwen die toevallig op straat liepen om een liter melk of een pakje sigaretten te halen en het pad kruisten van een legerpatrouille. Richt en schiet. Ze zijn allemaal zwart. Er is geen tijd – het is er de tijd niet naar – om onderscheid te maken tussen omstanders en revolutionairen.

Een grote groep van zulke gezonde jonge blanken, studenten aan een universiteit in de hoofdstad van het land, is uitgenodigd voor een vakantie die tegelijkertijd een nuttig doel dient. Niet echt een studiereis, hoewel de studenten zullen worden rondgeleid in het weerstation en het moderne weersatellietsysteem hun zal worden uitgelegd. Het is meer een soort avontuur, een buitenlandse reis naar een ongewone en weinig bekende bestemming. Ze gaan naar het eiland met de opdracht de katten af te schieten. Ze hebben er zin in. Onder hen is de jongen die een blauw oog had kunnen verliezen toen een zwarte een steen naar hem gooide, maar die alleen een schrammetje had waar een beetje van zijn voorouderlijke Teraloyna-bloed uit sijpelde. Straks zal hij door het ovale vliegtuigraam (tussen zijn dringende en duwende vrienden) het eiland zien liggen: 'Kijk! Daar beneden!'

Het eiland dat we hebben verlaten om naar het vasteland te gaan, helemaal gerimpeld en geplooid van de erosie. Het steekt net boven de zeemist uit: de donkere ravijnen waar de geiten zich staande hielden, lang voor de katten kwamen, de donkere kust omzoomd door de witte branding, alle beweging verstard door de verticale afstand van een paar duizend meter, voordat het vliegtuig langzaam begint te dalen.

Hij gaat naar huis, naar het eiland.

Hij verheugt zich op de *jol* die hij zal hebben met zijn kameraden, die zingend en met hun legerlaarzen stampend in het vliegtuig zitten, het kamp dat ze zullen opzetten, het bier dat ze zullen drinken, en de prooi waarop ze zullen jagen – deze keer grijs, gestreept, rood, bont, cypers, zwart, wit – alle kleuren van de regenboog, doelen in overvloed, alles wat beweegt, schiet ze dood, allemaal.

HET OGENBLIK VOOR HET GEWEER AFGING

• • •

Marais Van der Vyver heeft een van zijn zwarte knechts doodgeschoten. Een ongeluk, er gebeuren elke dag ongelukken met vuurwapens – in de steden, waar vuurwapens tegenwoordig tot de huishoudelijke artikelen horen, doordat kinderen een dodelijk spelletje spelen met de revolver van hun vader, op het platteland tijdens de jacht, zoals in dit geval – maar die zullen niet in alle kranten van de wereld worden beschreven. Dat van Marais Van der Vyver wel, dat weet hij. Hij weet dat het ongeluk van een Afrikaner boer – regionaal leider van de partij en commandant van de plaatselijke burgerwacht – die een zwarte man die voor hem werkt doodschiet, precies in hùn beeld van Zuid-Afrika zal passen: het is ervoor geknipt. Ze zullen het kunnen gebruiken voor hun boycot- en anti-investeringscampagnes, het zal het zoveelste bewijs zijn van hun versie van de waarheid over het land. De kranten in eigen land zullen het verhaal overnemen zoals het in de buitenlandse pers is beschreven en door al dat elkaar napraten zullen hij en de zwarte knecht worden gereduceerd tot de karikaturale figuren op de spandoeken van anti-apartheidsactivisten, een cijfer in de statistieken van blanke wreedheden tegen de zwarten die in rapporten voor de Verenigde Naties worden aangehaald – een man die ze met genoegen 'een vooraanstaand lid' van de regeringspartij kunnen noemen.

De mensen van de boerengemeenschap weten hoe hij zich moet voelen. Het is al erg genoeg om een man te hebben gedood zonder daarmee ook nog de vijanden van de partij, van de regering, van het land, in de kaart te spelen. Daar kunnen ze heel goed inkomen. Als ze de zondagskranten lezen, waarin Van der Vyver zegt dat hij 'diep geschokt' is, dat hij 'de vrouw en kinderen zal steunen', dan weten ze dat geen van die

Amerikanen en Engelsen of van die mensen thuis die de macht van de blanke willen breken, hem zal geloven. En zijn uitspraak over die zwarte jongen (volgens een van de kranten, als je die journalisten tenminste kan geloven): 'Hij was mijn vriend. Ik nam hem altijd mee op jacht,' zal wel met hoongelach worden begroet. Die stadsmensen en buitenlanders weten niet dat het waar is: veel boeren hebben een bepaalde zwarte knecht die ze graag meenemen als ze het land op gaan, je zou hem een soort vriend kunnen noemen, ja, vrienden zijn niet alleen maar je eigen mensen, blanken zoals jezelf, die je thuis ontvangt, met wie je bidt in de kerk en samen in het partijcomité zit. Maar wat weten die anderen daarvan? Ze willen het niet weten. Ze denken dat alle zwarten net zo zijn als die oproerkraaiers in de stad. En Van der Vyvers gezicht op die foto's, zo vreemd open van de schok – iedereen in de regio herinnert zich Van der Vyver als klein jongetje, dat wegliep en zich verstopte als hij merkte dat iemand naar hem glimlachte, en iedereen kent hem nu als een man die elke verandering van de uitdrukking rond zijn mond verbergt achter een dikke zachte snor en iedere verandering in zijn blik door naar iets in zijn hand te kijken, een blaadje van een gewas dat hij tussen zijn vingers neemt, een pen of een steen die hij opraapt, terwijl hij zich concentreert op wat hij zegt of naar iemand luistert. Zo zie je wat zo'n schok met iemand doet: als je naar die krantefoto's kijkt, heb je het gevoel dat je je zou moeten verontschuldigen, alsof je naar binnen had gegluurd in een kamer waar je niets te zoeken had.

Er komt een onderzoek. Dat is maar goed ook, dan komt er tenminste een eind aan de verhalen over alweer een geval van bruut geweld tegen zwarte landarbeiders, hoewel de toedracht volkomen duidelijk is: een ongeluk, en Van der Vyver zelf heeft alle feiten volledig toegegeven. Hij heeft een verklaring afgelegd toen hij op het politiebureau aankwam met de dode man in zijn *bakkie*. Districtscommandant Beetge kent hem natuurlijk goed; hij heeft hem een glas cognac gegeven. Hij stond te trillen op zijn benen, die grote, kalme, pientere zoon van Willem van der Vyver, die zijn vaders beste boerderij heeft geërfd. De zwarte was morsdood, niets aan te doen. Beetge zal nooit aan iemand vertellen dat Van der Vyver heeft gehuild, toen hij de cognac had gedronken. Hij zat te snikken, de snot liep over zijn handen, als bij een vies klein jongetje. De commandant geneerde zich voor hem en liep naar buiten om hem de gelegenheid te geven weer tot zichzelf te komen.

Marais Van der Vyver ging om drie uur 's middags van huis om een bok af te schieten van de koedoefamilie die hij in de bush die bij zijn land hoort beschermt. Hij interesseert zich voor in het wild levende dieren en ziet het als een heilige plicht van de boeren om zowel wild als vee te fokken. Zoals altijd reed hij langs de werkplaats in de schuur om Lucas op te pikken, een twintigjarige boerenknecht die aanleg had voor techniek en aan wie Van der Vyver persoonlijk had geleerd tractoren en andere landbouwwerktuigen te onderhouden. Hij toeterde en Lucas volgde de bekende routine en sprong in de bak van de vrachtauto. Hij vond het leuk om staande mee te rijden, zodat hij het wild eerder zag dan zijn werkgever. Hij leunde naar voren, met zijn benen tegen de cabine onder hem steunend.

Van der Vyver had een jachtgeweer en .300 munitie naast zich op de bank liggen. Het geweer was er een van zijn vader, omdat dat van hem bij de wapensmid in de stad was. Sinds de dood van zijn vader (de brigadier van de politie schreef 'het heengaan') had niemand het geweer meer gebruikt, daarom was hij ervan overtuigd geweest dat het ongeladen was toen hij het uit de kast haalde. Zijn vader had nooit een geladen geweer in zijn huis toegestaan; hij zelf had als kleine jongen al geleerd nooit met een geladen geweer in een auto te rijden. Maar dit geweer was geladen. Op een zandweggetje bonsde Lucas drie maal met zijn vuist op het dak van de cabine. Dat betekende: kijk naar links. Toen hij de witgestreepte flank van een koedoe met fijne gedraaide horens door het struikgewas zag schemeren, reed Van der Vyver met vrij grote snelheid over een gat in de weg. Door de schok ging het geweer af. Recht omhoog, het was dwars door het dak van de cabine heen recht op Lucas' hoofd gericht. De kogel doorboorde het dak en drong via Lucas' keel in zijn hersens.

Dat is de verklaring die Van der Vyver over het gebeurde aflegde. Hoewel hij zo'n vooraanstaande positie had in het district, moest Van der Vyver, zoals het ritueel eiste, onder ede verklaren dat dit de waarheid was. Ze hebben het opgeschreven en het dossier zal in het archief van het plaatselijke politiebureau worden bewaard zolang Van der Vyver leeft en daarna gedurende het hele leven van zijn kinderen, Magnus, Helena en Karel – tenzij de toestand in het land ernstiger wordt, het voorbeeld van zwarte onlusten in de steden navolging vindt op het platteland en het gebouw in brand wordt gestoken zoals met veel politiebureaus in de steden is gebeurd. Want wat de regering ook doet, het is nooit genoeg voor de oproerkraaiers en de blanken die hen aanmoedigen. Ze zijn nooit tevreden daar in de steden: de zwarten mogen nu in blanke hotels zitten te drinken, de immoraliteitswet is afgeschaft, zwarten mogen met blanken slapen... dat is niet eens meer een misdaad.

Van der Vyver heeft een hoog met prikkeldraad afgezet veiligheidshek om zijn hoeve en de tuin, dat volgens zijn vrouw, Alida, het effect van haar kunstmatige beek met de boomvarens onder de jacaranda's helemaal bederft. Op het achtererf rijst als een vlaggestok een antenne omhoog. Al zijn voertuigen, inclusief de vrachtwagen waarin de zwarte man de dood vond, hebben antennes die heen en weer zwiepen als de bestuurder over een gat in de weg rijdt: ze maken deel uit van het veiligheidssysteem dat de boeren in het district hebben opgezet, elke boerderij staat via de radio in verbinding met alle andere, vierentwintig uur per dag. Het is al eens gebeurd dat infiltranten van over de grens mijnen hebben gelegd onder afgelegen landwegen en dat blanke boeren en hun gezin zijn omgekomen op weg naar een zondagse picknick op hun eigen land. Dat gat in de weg had een landmijn tot ontploffing kunnen brengen en dan was Van der Vyver misschien samen met zijn zwarte knecht omgekomen. Als de buren Van der Vyver via het communicatiesysteem oproepen om hun medeleven te betuigen met 'die geschiedenis' met een van zijn zwarte knechts, impliceren ze stilzwijgend: het had erger kunnen zijn.

Aan de kwaliteit en afwerking van de kist is duidelijk te zien dat de boer voor de begrafenis heeft betaald. En een mooie begrafenis betekent een heleboel voor zwarten; kijk maar hoe ze zich tijdens hun leven het brood uit de mond sparen om betalingen te doen aan een begrafenisvereniging, opdat ze niet in een kist van bukshout in een anoniem graf zullen verdwijnen. De jonge vrouw is zwanger (natuurlijk) en een ander kleintje met rode schoenen die hem een paar maten te groot zijn, leunt onder haar vooruitstekende buik tegen haar aan. Hij is te jong om te begrijpen wat er is gebeurd, waarvan hij die dag getuige is, maar hij jengelt niet en houdt zich rustig: hij is ernstig zonder te weten waarom. Zwarten stellen kleine kinderen aan alles bloot, ze beschermen ze niet tegen de aanblik van angst en pijn zoals de blanken doen. De jonge vrouw is degene die haar hoofd heen en weer rolt en huilt als een kind, snikkend op de borst van deze of gene bloedverwant.

Alle aanwezigen werken voor Van der Vyver of zijn gezinsleden van degenen die voor hem werken; en in de oogsttijd of als er gewied moet worden, werken de vrouwen en kinderen ook voor hem – ze worden bij zonsopgang, in hun dekens gewikkeld en zingend, op een vrachtwagen naar de akkers gebracht. De moeder van de dode, ze kan nog geen veertig zijn (ze krijgen al jong kinderen, al in de puberteit), maar ze is een zware rijpe vrouw in haar zwarte jurk, staat tussen haar eigen ouders in, die al voor de oude Van der Vyver werkten toen Marais en hun dochter nog kinderen waren. De ouders houden haar vast alsof ze een gevangene is of een krankzinnige die in bedwang moet worden gehouden. Maar ze zegt niets, doet niets. Ze kijkt niet op, ze kijkt niet naar Van der Vyver, wiens geweer afging in de vrachtauto, ze staart naar het graf. Niets kan haar ertoe brengen om op te kijken, ze hoeven niet bang te zijn dat ze op zal kijken, naar hem. Zijn vrouw, Alida, staat naast hem. Uit respect draagt ze, net als ze bij de begrafenis van een blanke zou doen, de marineblauw-met-crème hoed die ze deze zomer zondags naar de kerk draagt. Ze staat altijd achter hem, hoewel hij dat niet schijnt te merken: die koelheid en afstandelijkheid van hem – zijn moeder zegt dat hij niet veel vriendjes had als kind – heeft ze voor zichzelf geaccepteerd, maar ze vindt het spijtig dat deze eigenschappen hebben verhinderd dat hij door de partij op de nominatie wordt gezet om het district in het parlement te vertegenwoordigen, zoals had moeten gebeuren. Hij zorgt ervoor dat noch haar kleren, noch die van een van de anderen om hem heen hem kunnen aanraken. Hij staart ook naar het graf. De moeder van de dode en hij staren naar het graf met dezelfde verstandhouding die bestond tussen de zwarte man buiten en de blanke in de cabine van de vrachtwagen op het ogenblik voor het geweer afging.

Het ogenblik voor het geweer afging was een ogenblik van vreugde en opwinding dat de jonge zwarte man in de bak van de vrachtwagen, dwars door het dak waar dadelijk de kogel doorheen zou dringen, deelde met de blanke boer achter het stuur. Er deden zich vaker zulke ogenblikken tussen hen voor, zonder uitleg, hoewel de boer de jongen op de boerderij vaak voorbijliep zonder zijn groet te beantwoorden, alsof hij hem niet herkende. Toen het geweer afging, zag Van der Vyver de koedoe opgeschrokken door de knal struikelen en wegrennen. Toen hoorde hij de bons achter zich en zag de jonge man langs het raampje van de cabine van de vrachtauto vallen. Hij was er zeker van dat de jongen was opgesprongen en gevallen – van schrik, net als de koedoe. De boer lachte bijna van opluchting, stond al klaar om hem te plagen toen hij het portier opendeed, het leek onmogelijk dat een door het dak heen dringende kogel schade had kunnen aanrichten.

De jongen lachte niet mee om zijn eigen schrik. De boer droeg hem in zijn armen naar de vrachtwagen. Hij wist heel zeker dat hij niet dood kon zijn. Maar de kleren van de boer zaten onder het bloed van de jonge zwarte, ze raakten ervan doordrenkt en kleefden aan zijn huid onder het rijden.

Hoe zullen ze het ooit te weten komen, als ze kranteknipsels, gevonden sporen, het bewijs in hun mappen opbergen, als ze de foto's bekijken en zijn gezicht zien – schuldig! schuldig! Ze hebben gelijk! – hoe zullen ze het ooit te weten komen, als het politiebureau afbrandt met alle bewijzen van wat er nu is gebeurd en wat in het verleden, toen dat voor de wet een misdrijf was. Ze zullen nooit weten – hoe zou dat ook kunnen? – dat *ze niets weten*. Helemaal niets. De jonge zwarte, wreed gedood door de onachtzaamheid van de blanke boer, was niet zijn knecht; hij was zijn zoon.

THUIS

• • •

Verlichte ramen: een knipplaat van je huis in de nacht. Thuiskomend van zijn vergadering draaide hij de sleutel om in het slot, maar de deur werd snel van binnen uit opengedaan – zij stond daar, Teresa, met een verschrikkelijk opgewonden gezicht. Haar magere blote voeten drukten zich stijf tegen de vloerplanken, ze was in haar katoenen nachtpon die hij in bed teder weg zou schuiven, het gordijn van haar lichaam.

'Ze hebben mijn moeder opgepakt. Robbie en Francie en mijn moeder.'

Hij moest iets hebben gezegd – 'Nee toch! Mijn God!' – maar was meteen vervuld met ontzag voor haar, vanwege wat er met haar was gebeurd terwijl hij weg was. Zijn vragen vielen als een lawine van stenen over hen heen. Wanneer? Waar? Hoe had ze het gehoord?

'Jimmy heeft daarnet gebeld uit een telefooncel. Hij had niet genoeg kleingeld, de verbinding werd verbroken, ik werd bijna gek, ik wist niet naar welk nummer ik moest terugbellen. Toen belde hij zelf weer. Ze zijn naar het huis gekomen en hebben behalve Robbie ook mijn moeder en Francie meegenomen.'

'Je moeder! Niet te geloven! Hoe kunnen ze zo'n oude vrouw nou meenemen? Ze weet niet eens wat politiek is – om wat voor reden kunnen ze haar vasthouden?'

Zijn vrouw stond in de deuropening en versperde de weg naar binnen. 'Ik weet het niet... ze is hun moeder. Robbie en Francie waren in haar huis.'

'Goed, Francie woont tenslotte nog bij haar. Maar wat deed Robert daar?'

'Geen idee. Misschien was hij gewoon even thuis.'

's Nachts, als er moeilijkheden zijn, lijkt de keuken de aangewezen plaats om heen te gaan; de slaapkamer is te veel een plaats voor geluk en intimiteit, en de woonkamer, met zijn boeken, het grote bureau dat ze samen delen, de platen aan de muur en de bloemen die hij elke week voor haar koopt bij dezelfde Indiase bloemenkoopman, getuigt te veel van het leven dat ze samen hebben opgebouwd, apart van de rest.

Hij zet water op voor kruidenthee. Ze kan niet blijven zitten, hoewel hij dat wel doet, om haar het goede voorbeeld te geven. Ze trekt telkens aan haar oorlelletjes, in een parodie van het vertederende gebaar waarmee ze altijd even voelt of de oorbellen die hij haar heeft gegeven wel goed vastzitten. 'Het is gisteren gebeurd, om vier uur 's ochtends.'

'En dat hoor je nu pas?'

'Jimmie wist het toch niet, Niels. Hij heeft het zelf pas gehoord toen de buren iemand hadden gevonden die wist waar hij werkt. Hij heeft de hele dag lopen rennen om te weten te komen waar ze worden vastgehouden. En elke keer dat hij zich bij een politiebureau vertoont, is hij bang dat ze hem ook zullen oppakken. Hij is niet de dapperste, dat broertje van me.'

'Arme kerel. Kun je het hem kwalijk nemen? Als ze zelfs je moeder oppakken – dan loopt iedereen in de familie gevaar.'

Haar neus en de oorlelletjes worden rood alsof ze kwaad is, maar het is haar manier van verschrikkelijk huilen. Ze aait steeds harder over de smalle kop van de Afghaanse hond, haar Doedoe. Bij haar moeder thuis had ze nooit een hond mogen hebben, ze waren vies, zei haar moeder. 'Het is zo koud daar in de stad 's winters. Waar zal mijn moeder vannacht op moeten slapen in die cel?'

Hij staat op om haar in zijn armen te nemen; de ketel gilt en gilt alsof het haar geldt.

In bed, in het donker, begon Teresa te praten, veilig in de warmte van de Afghaan aan haar ene kant en haar minnaar en echtgenoot aan de andere. Ze hoefde hem niet te vertellen dat ze huilde omdat zij hier lekker warm lag en haar moeder het koud had. Ze kon niet slapen – ze konden niet slapen – omdat haar moeder, die haar had bedolven onder te warme kleren, benauwende dienstbaarheid, verstikkende godsdienstigheid, het koud had. Een van de redenen waarom ze van hem hield – niet de reden waarom ze met hem was getrouwd – was dat hun liefde haar van haar moeder bevrijdde. Door van hem te houden, iemand van de andere kant van de wereld, een wereld die haar moeder niet kende, omhelsde ze sneeuw en ijs, dingen die haar moeder nooit gezien had. Hij bevrijdde haar van haar familie, de stinkende zon.

Zij was voor hem het wezen dat de harde, koude buitenkant van het bestaan deed smelten, de lange zwarte nachten die de helft van de dagen van zijn kindertijd hadden verduisterd, de ijskorst waarvan de strenge vorm zich door een nabootsing van de natuur in de vorm van zijn kaak herhaalt. Ze was naar hem toe gekomen uit het huis vol mensen, de straat vol mensen, een krioelende mengelmoes, net als die van de verschillende rassen in hun bloed. Hij was naar haar toe gekomen uit de stille kamers van een enig kind, waar een gravure van Linnaeus, zijn landgenoot, in het licht van de lamp hing, en uit de eenzame tochten in de glazen duikersklok van de wetenschapper tussen de vissen op de zeebodem – hij was geen botanicus geworden maar ichtyoloog. Ze verlangden naar elkaar als twee mensen die altijd vreemden zouden blijven. Ze hadden de speciale band met elkaar van twee mensen die aan niemand anders toebehoorden.

En die nacht beleefde ze, door hem erover te vertellen, opnieuw haar moeders gedweeheid, haar onderdanigheid aan een ongevoelige, boze man (de vader, die nu dood was), haar aanvaarding van het huis in het getto dat door de wet aan de moeder en haar kinderen was toegewezen en waaraan haar moeder zelfs nog enig cachet probeerde te geven met behulp van kanten vitrage en een spuitbus met een geurtje – alle dingen waarvan Teresa zo'n afkeer had gehad en die haar nu met vertwijfeling vervulden want: 'Hoe zal een vrouw als mijn moeder het in de gevangenis kunnen uithouden? Wat zullen ze haar niet aandoen?'

Hij wist dat ze worstelde met de verschrikkelijke ontdekking dat ze van haar moeder hield, hoewel dat een verachtelijke vrouw was, zoals ze in de loop van de jaren op allerlei manieren had bewezen: daar kon het feit dat ze nu in de gevangenis zat toch niets aan veranderen? Hij kende zijn Teresa te goed om tegen haar te zeggen dat ze zich niet voor die ontdekking hoefde te schamen: dan zou het worden uitgesproken en zou ze zichzelf van sentimentaliteit beschuldigen. Haar móeder was sentimenteel: die in brons gegoten babyschoentjes van de mannen en vrouwen die niet waren opgegroeid tot voorzichtige mensen die nooit in moeilijkheden raakten, maar die waren getrouwd met een blonde buitenlander met een vreemd accent of aan de drank geraakt en failliet gegaan, of betrokken geraakt bij de politiek, de dossiers van de geheime politie, arrestaties in de kleine uurtjes van de nacht. Hij luisterde en streelde haar haar, verborg haar gevouwen hand tussen zijn nek en schouder, terwijl ze huilde en tierde, zich beklaagde, schold, vloekte – zij, die aan haar moeders tuttigheid in elk geval haar keurige taalgebruik had overgehouden – en uitvoer tegen die vuile klootzakken van de regering en de politie, vanwege de dingen die ze hadden gedaan, niet alleen om vier uur 's ochtends in dat huis waar het naar frituurvet en motteballen rook, maar al generaties lang: omdat ze het leven van mensen overhoop gooiden met hun wetten op blaadjes papier, deuren opentrapten met hun arrestatiebevelen, mensen uit hun leven haalden en opsloten in cellen.

Later die nacht, toen hij dacht dat ze misschien eindelijk in slaap was gevallen, ging ze ineens overeind zitten: 'Wat zal ze zeggen? Wat weet ze?'

Ze bedoelde over Robbie. Teresa en haar broer, Robbie, waren degenen die zich met politiek hadden ingelaten. Teresa en haar Zweedse man, die hier in dit rustige kustplaatsje woonden, tussen zeebiologen voor wie alle soorten even belangwekkend waren en die er geen behoefte aan hadden zich bezig te houden met zaken als gelijkheid, waren lid van progressieve organisaties die zich op de grenzen van de wet bewogen maar deze niet overschreden en nooit verder gingen dan protestdemonstraties. Dit was een goede dekmantel voor de heimelijke steun die ze nu en dan aan Robbie gaven, die de revolutie niet alleen met de mond beleed maar ook metterdaad. Soms bestond die steun uit geld; soms was er een onaangekondigd bezoek midden in de nacht als hij een paar dagen moest onderduiken.

'Robbie zal haar heus niets verteld hebben. Je weet toch hoe ze altijd haar oren dichtstopte, zelfs als hij het wel eens probeerde.'

'Het gaat er niet om wat ze weet. Ze heeft nooit iets over ons geweten. Maar dat zullen ze niet geloven! Ze zullen doorgaan met hun ondervragingen.'

'Denk je niet dat ze dat al gauw zullen merken, dat ze niets weet waar zij iets aan kunnen hebben?'

Zijn trage stem was het anker waaraan ze wild op en neer dobberde. Plotseling nam haar woede een andere richting.

'Wat bezielde hem in godsnaam? Wat moest Robbie daar? Hoe haalde hij het in zijn hoofd om naar dat huis te gaan? Hij had toch kunnen bedenken dat dàt bij uitstek de plaats was waar ze hem zouden oppakken! Wat ezelachtig! Wat gemakzuchtig! Wat wilde hij daar? Zich lekker laten verwennen door zijn moeder? Ik begrijp niet wat ze mankeert, daar in de beweging, dat ze dat toelaten, dat mensen zich zo ongedisciplineerd, zo kinderachtig gedragen... Hoe kunnen ze verwachten dat er ooit een eind aan komt, als ze zo doen... Die stommeling! Hij heeft ze aan hen overgeleverd: Ja, komt u binnen, dan kan ik u aan mijn moeder en mijn zusje voorstellen, een gezellige familiebijeenkomst, allemaal gereed om naar de gevangenis te worden gebracht. Ik hoop dat hij beseft wat hij heeft gedaan. Mooie revolutie, als het aan mensen als hij wordt overgelaten... hoe durfde hij zelfs maar in de buurt van dat huis te komen?'

Ze noemden elkaar nooit 'lieverd' of 'schat', het soort koosnaampjes dat wordt gebruikt door neerbuigende winkeljuffrouwen en aanstellerige actrices, maar hadden hun eigen woordjes, in zijn taal: '*Min lille loppa,* we weten niet wat voor reden hij ervoor kan hebben gehad.'

Zijn 'kleine vlo' sloeg met haar vuist op de kussens, zodat de hond verschrikt van het bed sprong. '*Er kan geen enkele reden voor zijn.* Behalve dat ze hen allemaal heeft verpest, voor alles, zelfs voor de revolutie – uiteindelijk is hij niet anders dan mijn andere broers. Hij kruipt weg en verschuilt zich achter moeders rokken. Je kent die mensen niet, die familie van me.'

Om vier uur 's morgens bracht hij haar een glas warme melk. Terwijl de melk opstond, ging hij voor het keukenraam staan en legde zijn handpalm tegen de ruit, voelde het donker daarbuiten, het uur tegen het einde van de nacht waarin moeder, broer en zuster achtenveertig uur geleden naar buiten waren gekomen en naar politiewagens werden geleid.

De volgende ochtend ging ze niet naar haar werk. Ze was ontredderd, bezoedeld door hulpeloosheid. Hij was gedurende de zeven jaar dat ze bij elkaar waren maar een paar keer voor een stijf bezoekje bij haar thuis geweest, maar hij zag nu voor het eerst dat ze op haar moeder zou gaan lijken als ze ooit oud en bang zou worden. Haar lippen waren vertrokken van pijn, zodat het leek of ze lange tanden had: het gezicht van een slachtoffer. In haar radeloosheid, die haar schoonheid ontwrichtte, kwam de familiegelijkenis boven die bij de ouderdom hoort; op een dag zou hij zelf op een slagzij makend oud Scandinavisch schip gaan lijken, net als zijn vader of zijn oom nu. Hij smeekte haar een van zijn slaappillen te nemen, maar ze weigerde: ze had een afkeer van kalmerende middelen, van drank, van alles dat anderen volgens haar opvatting macht kon geven over je individuele persoonlijkheid; hij had altijd heimelijk gedacht dat dit een onbewuste reactie was op haar milieu, waarin mensen met de ene huidskleur onderworpen waren aan de wil van mensen met een andere.

Hij ging een uurtje naar het Instituut om zijn team de opdrachten voor die dag te geven en uit te leggen waarom ze allebei afwezig zouden zijn – zij werkte daar ook, in een nederiger positie. Door hun huwelijk en zijn aanmoediging had ze de kans gekregen haar verlangen naar een wetenschappelijke opleiding te vervullen. Toen zijn collega's vroegen wat hij van plan was te doen, besefte hij dat hij dat niet wist. Als Teresa's familie op grond van Paragraaf 29 werd vastgehouden, zouden ze geen contact mogen hebben met advocaten of familieleden. Tussen de betuigingen van medeleven en steun merkte hij ook veelbetekenende stiltes op: ze hadden een dergelijke ramp (in hun eigen leven iets onvoorstelbaars) wel kunnen voorspellen, zo iets kon je verwachten met zo'n huwelijk.

Toen hij thuiskwam, was ze aan het telefoneren. Ze hield de hoorn met beide handen omklemd, haar blote voeten waren nat en de hond – die had ook een verandering ondergaan, hij was gereduceerd tot een met plukjes nat haar bedekt hoopje botten.

Had ze de hond in bad gedaan? Vandaag?

Ze zag zijn gezicht, maar luisterde met hysterische concentratie naar wat ze hoorde, gebaarde dat hij haar niet moest onderbreken, zijn mond moest houden. Hij sloeg zijn arm om haar heen en haar ene hand liet de hoorn los, tastte naar de zijne en hield die stijf vast. Ze onderbrak nu het gekakel aan de andere kant: 'Maar ik moet je ergens kunnen bereiken! Kan ik je niet ergens bellen? Als ik niets van je hoor, hoe moet ik dan weten wat er gebeurt?... Luister naar me, Jimmy, Jimmy, luister nou, ik verwijt je niets... Maar als ik je niet op je werk kan bellen, dan... Nee! Nee! Dat is niet genoeg, hoor je me, Jimmy...'

Een ogenblik lang probeerde hij haar rondzwervende blik vast te houden. Ze legde de hoorn op de haak.

'Telefooncel. En ik ben het nummer dat hij me daarnet heeft gegeven alweer vergeten. Ik heb de hele ochtend zitten wachten tot hij zou bellen en nu. Ik zat hier maar naar de telefoon te staren, kon me er niet toe brengen iets anders te gaan doen – wat dan ook ... Hij belde vlak nadat jij was weggegaan en hij zei dat hij een advocaat had, de vriend van een vriend, iemand van wie ik nog nooit had gehoord, die zou het verder uitvissen, hij wilde zich tot de rechtbank wenden of zo iets...'

De telefoon begon weer te rinkelen en ze staarde ernaar. Hij pakte hem op: het was de stem van haar broer, aarzelend, struikelend: 'Ma en de anderen, zij zitten gevangen op grond van Paragraaf 29.'

Ze bleef bij de telefoon zitten, terwijl hij probeerde het huishouden op gang te brengen alsof het een stilstaande klok was. Om op de been te blijven zouden ze wat moeten eten (hij maakte de lunch klaar), later moesten de lampen worden aangestoken, was het tijd voor het nieuws op de televisie. Maar ze kon geen hap door haar keel krijgen zolang ze niet wist of haar moeder het voedsel dat op een bord door het luikje in een celdeur werd geschoven, zou kunnen eten, kon niet lezen bij het lamplicht, omdat het donker was in een cel, en het nieuws: er was geen nieuws als mensen werden vastgehouden op grond van Paragraaf 29. Ze belde vrienden op maar wist niet meer wat ze hadden gezegd. Ze belde een dokter, omdat ze plotseling op het idee kwam dat haar moeder een te lage bloeddruk had – of was het juist te hoog, dat wist ze niet zeker – en ze wilde weten of ze een beroerte zou kunnen krijgen en overlijden ten gevolge van het een, of instorten ten gevolge van het ander, als ze in de gevangenis zat. Ze wilde niet naar bed. Ze haalde een klein, verkreukeld fotootje te voorschijn van haar moeder met een baby in haar armen (Robbie, zei ze) en een nors kijkend klein meisje (zij zelf) ernaast. Er was een stukje van de mouw van een man zichtbaar op de plek waar slordig een stuk van de foto was afgeknipt. De ontbrekende figuur was haar vader. Hoewel uitgeput, waren ze weer tot na middernacht op, terwijl zij tegen hem over haar moeder praatte, vol nieuwsgierigheid was, vol plotselinge inzichten over haar moeder, de eentonigheid en beperktheid van haar leven. ‘En dan moet dit gebeuren: het enige belangrijke dat ooit in haar leven gebeurt moet dit zijn.’ Haar hele gezicht beefde. Hij leed met haar mee. Hij wist dat het vaak voorkomt dat mensen liefdevol over iemand praten die ze hun hele leven hebben gehaat en veracht, als die persoon eenmaal dood is. En als je op grond van Paragraaf 29 gevangen zit en niemand weet waar, dan was je dood voor de wereld waarin je geen liefde had verdiend.

In bed wou ze natuurlijk geen slaappil, maar ze hadden elkaar. Hij vrijde met haar en ze werden allebei nat van haar tranen. Daarna viel ze in een gezegende slaap. Nu en dan slaakte ze een snikkende zucht, als een getroost kind, en dan werd hij meteen wakker en tilde zijn hoofd op en waakte over haar. Het bed rook naar schone hondevacht die derde nacht.

Teresa.

Toen hij wakker werd, zag hij dat ze zich al had gewassen en aangekleed. Toen hij haar naam zei, draaide ze haar hoofd vanuit de deuropening van de slaapkamer naar hem toe; haar haar was van haar jukbeenderen en oren strak naar achteren getrokken, vastgehouden door kammetjes. Er was opnieuw iets met haar gebeurd in zijn afwezigheid; deze keer had ze naast hem gelegen, maar waren ze gescheiden geweest door de slaap. Ze stond klaar om uit te gaan, lang voordat het tijd was om naar haar werk te vertrekken: ze wilde eerst naar een Indiase advocate die ze op een protestbijeenkomst tegen detentie zonder proces hadden horen spreken. Hij gaf toe dat het een goed idee was. Daar moest ze gedurende de nacht op zijn gekomen, naast al die andere dingen: als het waar was van die hoge bloeddruk van haar moeder (of wat het ook was) moest Jimmy naar de dokter gaan die haar behandelde en hem om een attest vragen als bewijs van haar zwakke gezondheid – daardoor zou ze misschien vrij kunnen komen of in ieder geval een speciaal dieet en een betere behandeling krijgen in de gevangenis. En er moest iets worden geregeld voor het huis – het zou binnen een week zijn leeggeplunderd in die buurt. Er moest een betrouwbare persoon worden gevonden die erheen kon gaan om de boel behoorlijk af te sluiten – en op te ruimen, ja, de politie zou alles wel overhoop hebben gehaald: als ze iemand arresteren doorzoeken ze de plaats van de arrestatie meteen.

'Zal ik met je meegaan?'

Nee, ze had al opgebeld, Fatima zat op haar te wachten op kantoor. Teresa zweeg even, klaar om te vertrekken. Hij zag dat ze nog eens bij zichzelf naging wat ze tegen de advocate moest zeggen. Ze wierp hem een kushand toe.

Het was afgelopen met huilen en beven. Ze kwam regelrecht van de advocaat naar het Instituut, bracht hem verslag uit van de raad die ze had gekregen, trok haar witte jas aan en deed haar werk. Ze kon zich moeilijk concentreren die eerste dagen en leek een beetje duf van de inspanning als ze samen lunchten. In de kantine kozen ze een tafeltje een eindje van de anderen vandaan, alsof ze een clandestiene affaire hadden. Maar het waren geen lieve geheimpjes die hun gedempte stemmen uitwisselden. Ze bespraken wat ze zouden doen, wat er gedaan moest worden, wat er gedaan kon worden – en telkens keek nu de een dan de ander even op in antwoord op de groet of de opgestoken hand van een collega, keek de vochtige vrolijke ruimte in waar de dagschotels met krijt op een schoolbord stonden aangeprezen en de mensen zich om de koffie-, thee- en cola-automaten verdrongen, of naar buiten door het grote raam waar de zee op ademde, naar de rode collage van flamboyanten en bonte poinsettia's in de tuin van het Instituut – en intussen zaten haar moeder, broer en zuster ergens in een cel. De hele tijd. Terwijl ze aten, terwijl ze werkten, terwijl ze de hond uitlieten. Want die hele reeks herhalingen waar het dagelijkse leven uit bestaat, ging gewoon door; alleen beseften ze hoe vreemd het is, zo'n nooit aflatende sleur: hoe kunnen ze verhinderen dat die verdoezelt wat er werkelijk aan het gebeuren is. In de cellen; en hier?

Terwijl hij zich met dat dagelijkse leven bezighield (zij had te veel aan haar hoofd om ook nog boodschappen te doen en kleren naar de stomerij te brengen) was zij elk ogenblik dat ze vrij waren bezig advocaten te raadplegen, formulieren op te halen en in te vullen met verzoeken aan rechters, hoge politiefunctionarissen, overheidsinstanties, en advies in te winnen bij organisaties die zich bezighielden met de omstandigheden van gedetineerden die zonder vorm van proces vastzaten. Ze was niet meer verdoofd: haar haar was naar achteren gekamd, al haar aandacht op maar één ding gericht; vastberadenheid maakte haar gebaren harder, haar optreden doortastender, ontdeed haar van haar zachtheid. Ze klampte iedereen aan die ze kon gebruiken – zo drukte ze het uit: 'Misschien kunnen we die en die gebruiken. Hij schijnt een goeie liberaal te zijn, laten we zien wat hij doet. Fatima zegt dat hij een studievriendje was van de hoofdcommissaris van politie in Stellenbosch.' Een verzoek om hulp was kennelijk niet sterk genoeg, dan kreeg je antwoorden als: 'Ik zou je wel willen helpen, maar...'; 'We moeten mensen uitzoeken op wie we een beetje druk kunnen uitoefenen.'

Hij vroeg zich verbaasd af waar ze die wijsheid vandaan had; zij, die altijd zo vertederend principieel was, stapte zelfs naar een nationalistisch ex-parlementslid dat naar men zei nog steeds een goed contact had met de minister van justitie. Zij, die altijd zo oprecht was geweest, zocht weer contact met kennissen die ze beiden hadden gemeden omdat ze te materialistisch, onmogelijk om mee om te gaan, streberig waren, maar die ze nu zou kunnen gebruiken vanwege hun connecties. Ze dacht alleen aan strategie. Toen het haar – dank zij Fatima's overleg met advocaten in de stad waar haar familie werd vastgehouden – was gelukt hun een pakket met dekens en kleren te sturen, begon ze haar moeders huisarts onder druk te zetten, belde hem 's avonds laat thuis op om erop aan te dringen dat de gevangenisarts haar moeder zou bezoeken; toen dat was gelukt, belde ze een vriend-van-een-vriend die in de stad woonde om hem te vragen eten naar de gevangenis te brengen (gedroogd fruit, yoghurt, dat waren de dingen waar de meeste behoefte aan was, had ze gehoord van mensen die zelf politieke gevangenen waren geweest) en te proberen de hoofdbewaker over te halen dat voor haar moeder, Robbie en Francie in ontvangst te nemen. Ze zat voortdurend bij de telefoon, hij bracht haar bord naar haar toe tijdens hun onderbroken maaltijden, terwijl ze met haar ellebogen op haar knieën op een krukje zat – dat was nu haar hoekje, zoals Doedoe zijn eigen plaatsje had onder de tafel. Die verschrikkelijke woekerplant die het dagelijkse leven is: kon je hem maar wegtrekken en zien – ja, wat eigenlijk?

Ze zat voortdurend bij de telefoon omdat wat er in de cellen gebeurde ver weg was, in Johannesburg. Ze werd grimmig en ongeduldig – medeleven irriteerde haar en hij moest begrijpen dat hij, ondanks hun innige verbondenheid, hun twee-eenheid, niet kon beweren dat hij hetzelfde voelde als zij. Als ze informatie nodig had, als er iets gedaan moest worden, moest dat allemaal via derden lopen. Jimmy's vreesachtigheid maakte hem nog onintelligenter dan hij altijd al was geweest. Je kon niet op hem rekenen en hij was het enige familielid daar ter plekke. Zij zelf zou daar moeten zijn: telkens als een tussenpersoon een blunder maakte, kwam het ter sprake: zij zou er eigenlijk heen moeten. En dan was hij degene die van streek raakte, zich nergens anders op kon concentreren dan op de kille angst dat ze erheen zou gaan, in de wachtende auto van de veiligheidspolitie zou stappen, hij zag ze al klaar staan, omdat ze wisten dat ze naar dat huis en naar de gevangenis waar haar moeder en haar broer en zuster vastzaten, zou komen. Had hij niet naar aanleiding van Jimmy's angst tegen haar gezegd dat nu eenmaal elk lid van de familie...? En zij was degene die contact met Robbie had onderhouden, buiten de familieband om.

'Precíes! Ze kunnen elk ogenblik híer komen en jou en mij oppakken. Ons allebei. We weten tenslotte niet wat ze te weten zijn gekomen, daar in de gevangenis... wat hij misschien aan mijn moeder heeft verteld of aan die arme bange Francie – mijn zusje is pas negentien, dat weet je... Die twee vrouwen zullen zich nooit staande kunnen houden tijdens een verhoor door die schoften, ze kunnen niet eens beoordelen wat schadelijke informatie is en wat niet.'

Het was alsof zijn grote lichaam hem hinderde bij zijn verzet tegen de wil die haar tengere gestalte staalde. Als hij sprak, voelde hij zich alsof hij een of ander log, nergens op slaand gebaar naar haar maakte. 'Maar dat is niet gebeurd. Ik bedoel, de hemel zij dank. Misschien weten ze niets van je af.'

Ze maakte een geringschattend geluid, half lach, half gebrom.

'Misschien heeft niemand ze iets over ons – jou – verteld. Maar als je ernaar toe gaat, zullen ze zeker besluiten dat ze maar eens moeten onderzoeken wat je weet. En jij weet tenslotte het een en ander.'

Ze wuifde het allemaal weg, de keren dat haar broer bij hen was ondergedoken, de stapeltjes met papieren die, verborgen onder wetenschappelijke documenten over de gewoontes van vissen, op het bureau van de Zweedse deskundige van het Instituut hadden gelegen.

'Teresa, ik laat je niet gaan!' Hij had nog nooit op die toon tegen haar gesproken, waarschijnlijk was het de onaangename toon van haar vader – hij had het gevoel dat hij haar een klap had gegeven, maar het was zijn eigen borstbeen dat door zijn vuist was geraakt. Hij schreeuwde tegen haar: '*Ik wil het niet hebben!* Als er iemand moet gaan, dan doe ik het wel. Ik ben geen familie!'

Hun onenigheid was als een stuk krantepapier dat in brand vliegt, zwelt en kronkelt in de vlammen en snel uitdooft, zodat er niets overblijft dan een dun zwart vliesje in je hand.

Ze gaf het idee op. Van opluchting had hij dorst gekregen; ze keek naar hem terwijl hij naar de kast liep en zich een whisky inschonk, maar zij had geen borrel nodig. Om de paar dagen gebeurde er iets waardoor de hele ellende opnieuw begon. Ze had nu contact met mensen die berichten uit de gevangenis konden smokkelen: Robbie was in hongerstaking, haar moeder en Francie waren naar een andere gevangenis overgebracht. Waarom? Ze zou erheen moeten om het uit te zoeken. Ze wachtten op de beslissing over het verzoekschrift voor de vrijlating van Francie en haar moeder, dat de advocaat bij de minister had ingediend. Ze zou daar moeten zijn om te zien of ze niet iets kon doen om de zaak te bespoedigen. Haar man riep de hulp van vrienden in om zijn standpunt te steunen: hij, zij wilden er niet van horen dat ze daarheen zou gaan.

Ze nam vrij van haar werk. Hij wist niet of dat een goed idee was of niet. Het werk leidde haar tenminste een beetje af, ze moest aan iets anders denken, praten met mensen die andere dingen aan hun hoofd hadden. De een was beroofd – een inbraak, alles was weg: dìngen? Hij zag de vraag op haar gezicht, terwijl ze haar hoofd in haar nek gooide. De ander had een vrouw die op sterven lag: de dóód? Nou ja, doodgaan is iets natuurlijks. Als haar moeder, die al een eind over de zestig was, thuis ziek was geworden en gestorven, peinsde hij, zou dat een gebeurtenis zijn geweest die ze moesten aanvaarden.

Zo werden de praktische problemen van de gevangenschap van haar moeder, broer en zuster tevens haar werk. Zelfs haar weinige vreugden – nee, verkeerd woord – haar weinige kleine voldoeningen waren een onderdeel van de ramp: bij voorbeeld het nieuws dat er een spandoek had gehangen waarop de vrijlating van haar moeder, broer en zuster werd geëist, tijdens een bijeenkomst van een bevrijdingsbeweging die door politie en honden uit elkaar was gejaagd. Er kwamen boodschappen van de beweging in ballingschap waarin Robbie actief was: ze gaven de voorkeur aan deze advocaat boven die om zijn zaak te behartigen. En door het feit dat ze wisten dat ze contact met haar moesten opnemen, raakte ze betrokken bij een ander soort cel, ging ze om met nieuwe mensen, voor wie detentie een zelfde soort risico was als een boete voor een verkeersovertreding, en clandestiene activiteit met alle listen die erbij hoorden een manier om te overleven, zowel binnen als buiten de gevangenis.

Op hun aanraden sliep ze niet meer thuis. Ja, dat was een objectieve bevestiging van de zorgen die hij zich over haar had gemaakt; en tegelijkertijd van haar overtuiging dat ze net zo goed hier kon worden opgepakt als in de buurt van haar moeders huis of de gevangenis waar ze vastzat. Ze sliep nu eens bij deze, dan weer bij die goede vrienden: 'Misschien blijf ik vannacht bij Addie, of anders bij Stephen en Joanna.' Ze hield hem een ogenblik stijf vast, drukte Doedoes smalle snuit tegen zich aan voordat ze naar buiten glipte, en ze was de volgende ochtend vroeg terug voor het ontbijt. Maar hij lag in de steek gelaten en vol verlangen naar haar in hun bed, hoewel ze al weken niet meer hadden gevreeën, niet sinds die tweede nacht nadat ze het hadden gehoord. Hij voelde dat ze zich schaamde over hun vreugde in elkaar, terwijl de anderen – die familie van haar – buiten het bereik van elke menselijke aanraking in de gevangenis zaten. Een keer bezweek hij voor de verleiding haar stem te horen en belde op naar het adres waar ze had gezegd dat ze zou zijn, maar ze was er niet. Natuurlijk, het zou het hele doel van haar afwezigheid teniet hebben gedaan, als de vriendin die de telefoon aannam hem zou hebben verteld waar ze heen was gegaan; het was meer dan waarschijnlijk dat de telefoon die hij bij zijn bed gebruikte, werd afgeluisterd. De volgende dag schaamde hij zich zo dat hij haar zijn kinderachtige impuls niet durfde op te biechten.

Ze droeg haar haar nu nooit meer los. Waarschijnlijk omdat ze het niet over zich kon verkrijgen de tijd te nemen om er krulspelden in te zetten en het genietend uit te borstelen voor de spiegel, zoals vroeger. Toch zag ze er mooi uit, op een nieuwe manier. Een vrouw wordt een andere vrouw als ze haar haar anders gaat dragen. De kammen trokken het weg van haar jukbeenderen en oogholten, ze zag eruit als een donkere Greta Garbo (hij was net oud genoeg om zich Greta Garbo te herinneren). Als de voordeur 's morgens dichtsloeg en ze binnenkwam om te ontbijten, had hij het gevoel – en het was een soort angst – dat hij verliefd op haar aan het worden was. Wat vervelend en belachelijk! Hij hield al zeven jaar van haar, Teresa, Teresa – er was geen reden om daarvan af te stappen, iets nieuws te beginnen.

En toen kwam hij op de krankzinnige gedachte – krankzinnig! – dat niet híj verliefd op haar aan het worden was, maar iemand anders. De tekenen ervan waren zichtbaar, in haar nieuwe soort schoonheid. *Ze was zoals iemand anders haar zag.* Met die gedachte confronteerde hij zichzelf als ze 's morgens binnenkwam.

Op een dag was haar haar nat toen ze thuiskwam, haastig omhoog getrokken, de kammen er op goed geluk ingestoken.

'De zee zag er zo heerlijk koel uit, ik kon de verleiding niet weerstaan om een duik te nemen op weg hierheen.'

'Daar ben ik blij om, *min lille loppa,* was het fijn?'

Toen het gebeurde, was hij vertederd en blij, zag het als een teken van herstel, de terugkeer van normale belangstelling voor het leven na een ziekte. Maar toen hij op het Instituut door het aquarium liep, tussen al die happende vissen, werd hij plotseling overweldigd door iets dat niet gezegd kon worden: met wie was ze gaan zwemmen? En ze moest naakt zijn geweest of alleen in haar slipje, want ze zou toch zeker geen badpak meenemen als ze 's nachts wegging om de veiligheidspolitie te ontlopen.

Een paar uur later kon hij niet geloven dat hij zulke goedkope gedachten over haar had gehad, Teresa, Teresa. Er was een strandje waar ze vaak samen naakt hadden gezwommen, beschut door rotsen; ze was natuurlijk naar hùn strandje gegaan, alleen, zonder hem.

Omdat hij nu en dan zo slecht over haar dacht, werd hij verlegen voor haar. Ze hadden altijd het ongemak van elkaars kleine ongesteldheden gedeeld – haar menstruatiepijnen, zijn aanvallen van indigestie als hij te lang over een microscoop gebogen had gezeten. Nu leed hij, helemaal alleen, aan een gênante aandoening, een soort jeuk bij zijn anus. Het was vast een aankondiging van de middelbare leeftijd, dacht hij, het begin van de aftakeling van het zenuwstelsel. Wat zou zo'n onsmakelijke bijzonderheid haar interesseren in een tijd als deze? Ouder worden, aftakelen, was iets natuurlijks. En zij was jong: ze zou het vast niet prettig vinden te worden lastig gevallen met zijn achterste, terwijl haar moeder en haar broer en zuster nog steeds in de gevangenis zaten, nu al weken lang. En ze had een jonge minnaar.

O, waarom dacht hij zulke dingen?

Waarom zou ze geen minnaar hebben gevonden, jong als zij zelf, opgegroeid in kameraadschappelijke armoede, iemand die al in de gevangenis had gezeten en wiens metier, om die schoften van een politieagenten, gevangenbewaarders, overheidsdienaren te slim af te zijn, sinds kort ook het hare was.

En nu kon elk teken zo worden uitgelegd. Zij, die altijd zo hartstochtelijk naar liefde had gehunkerd, was in geen weken naar hem toe gekomen en had een sfeer om zich heen gecreëerd waarin het tactloos leek haar te benaderen. Als ze elders had geslapen en 's morgens vroeg thuiskwam, had ze in hun bed kunnen glijden, want hij lag daar nog, maar dat deed ze niet. Die nacht dat hij naar Stella's flat belde – toen was ze daar niet; en hoe had Stella geklonken? Had haar stem niet gedwongen geleken? Alsof ze loog? Iets verborg? Teresa, Teresa. Hij dacht al die dingen *in het Zweeds.* Wat betekende dat? Hij was bezig zich terug te trekken, weer te vervallen tot wat hij was geweest voor ze samen een leven dat los stond van het verleden hadden opgebouwd... ze duwde hem daarin terug, liet hem alleen, ze had een minnaar. Hij probeerde te ontdekken wie het was. Als ze over medeleden van het *Detainees' Support Committee* praatte, luisterde hij of bepaalde namen niet vaker terugkwamen; en dat bracht nieuwe ontsteltenis: de mogelijkheid bestond zelfs dat ze een affaire had met de man van iemand anders. Teresa! Op de weinige feestjes waar ze, in de loop van zeven jaar, heen waren geweest, had ze met geen enkele man gedanst, omdat hij niet danste; ze had altijd zijn hand vastgehouden en toegekeken.

En toen, op een nacht – nee, achter de gordijnen was het al ochtend – sprong de hond van het bed en jankte, en hoorde hij de klik van het slot van de voordeur. Hij wachtte, maar ze kwam niet naar de slaapkamer; hij moest al wachtend weer in slaap zijn gevallen en toen hij wakker werd, voelde hij de stilte van een leeg huis. In de keuken lag een briefje: 'Ik moet een paar dagen weg. Maak je niet ongerust. *Lille loppa.*' Het was het soort briefje dat tegenwoordig werd achtergelaten door mensen als Robbie of haar nieuwe kennissen. Als ze moesten verdwijnen, als ze er zeker van wilden zijn dat niemand van de mensen die ondervraagd konden worden over hun verblijfplaats, moeilijkheden zou krijgen met de politie: hoe minder je weet, hoe beter dat voor je is. Maar hij wist het. Hij wist het nu zeker. Misschien was dit zelfs haar manier om het hem te laten weten. Als de politie kwam, zou hij het hun kunnen vertellen: ze is weggegaan met een minnaar.

Hij kon zich haar niet voorstellen zonder hem zelf – net als zij, toen het allemaal begon, zich niet had kunnen voorstellen dat haar moeder zou kunnen eten of slapen in de gevangenis. Teresa aan tafel tegenover iemand die dood vlees op haar bord legde (zij aten altijd vegetarisch) en ze zou het opeten. Teresa in een van haar katoenen nachtponnen: als ze een zwempak mee kon nemen voor een afspraakje vroeg in de ochtend, dan zou ze niet aarzelen de nachtpon mee te nemen. In tegenstelling tot Teresa dronk hij whisky en nam slaappillen in om niet langer te hoeven denken. Maar de combinatie bezorgde hem een afschuwelijke droom. In de droom hadden ze een kind dat op hun strandje aan de waterkant speelde, terwijl hij met Teresa lag te vrijen en verbeten zijn climax najaagde, hoewel hij wist dat de hoge branding het kind de zee in sleurde. Hij werd wakker als een schooljongen, nat van de droom.

Hij stond bij zijn aquaria op het Instituut en volgde de bewegingen, stromingen van de slingers roze, paarse, gele en blauwe tropische vissen die het verdronken lichaam van het kind zouden hebben verslonden, terwijl hij dacht aan het huis met de stille kamers in de buurt van Stockholm, dat hij had geërfd, aan de zijdeachtig glanzende geschrobde vloeren, de witte mousselinen gordijnen en de witte stammen van de berkebomen. Hij had niet gedacht dat hij daar ooit weer zou moeten wonen.

Na drie dagen belde ze 's ochtends even voor twaalven naar het Instituut.

'Waar ben je?'

'Hier. Doedoes kop ligt op mijn schoot!' Ze lachte.

Hij ging meteen naar huis en opnieuw werd, toen hij de sleutel in het slot stak, de deur van binnen uit geopend. Ze strekte haar handen naar hem uit, met de palmen omhoog; hij kon niet anders en pakte ze langzaam vast. Ze gingen naar de keuken en hij zag dat ze brood met avocado had zitten eten, hongerig kruimels morsend, zoals altijd. De hond snuffelde aan haar om te ontdekken waar ze was geweest en wat ze had gedaan en hij verlangde ernaar, hoewel hij er ook bang voor was, de geur van haar verraad te ruiken.

Ze leunde tegen de rug van de keukenstoel en keek hem aan.

'Ik heb haar gezien. En ik heb briefjes van Francie en Robbie, die ze naar buiten gesmokkeld hebben. Het gaat goed met haar. Ik wist dat je me tegen zou houden als ik je vertelde waar ik heen ging.'

Ze trok glimlachend haar schouders op: onderwerp afgehandeld.

Misschien was er geen minnaar? Hij zag dat ze hem inderdaad had verlaten, maar het was voor hen, dat huis, die donkere familie waar hij niet bijhoorde, haar land dat niet het zijne was.

EEN REIS

• • •

Terugkomend uit Europa zag ik in het vliegtuig een mooie vrouw met een heel kleine baby en een zoontje van een jaar of dertien. Ze zaten aan de overkant van het gangpad. De baby kan niet ouder zijn geweest dan een dag of tien. Hij had een dikke bos fijn zwart haar dat naar alle kanten uitstak, zoals haar onder water doet, alsof het was gekamd door het vruchtwater waarin hij had gedreven. De aandoenlijke kromme beentjes waren nog nooit gebruikt. De oogleden waren dik, gingen langzaam open, een spierbeweging die nog getest werd, en onthulden een oude, verwonderde blik. Heel donkere ogen, maar geen kleur waar je een naam aan zou kunnen geven, zwart of blauw. Misschien heeft kleur iets te maken met gericht kijken, iets dat hij maar nu en dan deed – dat was die verwonderde blik – naar het gezicht van de moeder. Of liever naar de ógen van de moeder. Als ze naar zijn gezichtje keek, openden zijn ogen zich als bloemknoppen. Bij die vreemd geconcentreerde aandacht voor elkaar voegde zich telkens die van de jongen.

De jongen was mooi, net als zijn moeder. Met woorden kan schoonheid alleen worden aangeduid door zijn meest opvallende signaal. Dat van hen was helderheid. Hun identieke ronde wenkbrauwen waren als een heldere horizon, hun neusvleugels en oorlelletjes leken doorzichtig, hun huid, lippen en ogen hadden de tinten van portretten van gebrandschilderd glas. De baby leek op geen van beiden. Het was de aanwezigheid van een afwezige; en toch was hij zo intens van hen. Ze maakte haar kleren los (ze was modieus, duur en sober gekleed) en hoewel ik haar borst niet kon zien, zag ik aan het zachte op en neer gaan van het harige hoofdje van de baby in de kromming van haar arm, dat hij dronk. De jongen en de moeder bogen zich over hem – over het proces – heen.

Eén keer zag ik dat ze haar intensief gebruikte maar mooie hand om de ronding van het hoofd van de jongen legde en hem daar even liet rusten. Een drie-eenheid.

Van tijd tot tijd werd de jongen plotseling het kind dat hij was. Hij was bezig met een van de puzzels of spelletjes die aan kinderen worden uitgereikt, samen met de gebruikelijke koptelefoon en pantoffels die iedereen krijgt. Dan zat hij van hen afgewend, maar telkens werd hij weer aangetrokken door die wederzijdse contemplatie die hij diende. Letterlijk: gedurende de nacht stond hij op om vuile luiers van de baby weg te gooien in de wc, een plastic bekertje water te halen, waaruit hij en zijn moeder samen dronken. Toen viel de baby in slaap in zijn reiswieg op de grond en lagen zij tweeën, met de armleuning tussen hun stoelen weggeklapt, als één vorm onder de dekens van de luchtvaartmaatschappij te slapen. Ze hadden zelfs de afzonderlijke identiteit van hun gezichten bedekt, ongetwijfeld als bescherming tegen de lampjes in de cabine.

Ze stapten uit het vliegtuig toen het midden in Afrika een tussenlanding maakte om te tanken. De luchthaven was pas geleden een tijd gesloten geweest, in de periode dat er een coup-poging in het land werd gepleegd. Ik zag, vertekend door het bolle glas van het vliegtuigraam, de vormen van uitgebrande militaire voertuigen. Twee van de letters waarmee de naam van de president van het land als naam van het vliegveld op het gebouw van de terminal stond geschreven, ontbraken. Langs de randen van de startbaan scharrelden honden.

Zij had de baby in haar armen. De jongen droeg hun uitpuilende handbagage en bleef beschermend vlak bij haar toen ze door de deur op het trapje stapte dat naar het vliegtuig was gereden. Mijn raampje was een lens met een beperkter gezichtsveld dan het menselijk oog: ik kon hen niet over het tarmac naar de terminal volgen, ik weet niet of ze zich vol verwachting en vreugde naar wat hen daar wachtte toe haastten, ik weet niet waar ze waren geweest, waarom ze waren weggegaan of in wat voor situatie ze terugkeerden. Ik weet alleen dat de baby nog zo klein was dat hij elders geboren moest zijn, ze brachten hem voor het eerst hierheen, dit was zijn eerste reis. Ik zette de mijne voort; ze waren verdwenen. Ze bestaan alleen in het plaatsvervangende leven dat ik voor hen verzin, in het onbekende van wat er voor de reis met hen was gebeurd en van wat er aan het eind ervan zou gebeuren.

Ik ben dertien. Ik was net jarig geweest toen ik met mijn moeder wegging om de baby te krijgen in Europa. Er is geen goed ziekenhuis in het land waarheen mijn vader is uitgezonden – hij is economisch attaché – en daarom gingen we terug naar waar mijn ouders vandaan komen, het land dat hij, waar we ook wonen, vertegenwoordigt. Ik ken het alleen van de vakanties bij mijn grootmoeder, want ik ben geboren toen ze in een ander land waren gestationeerd.

Ik was al heel lang het kind van mijn ouders – het enige. Ik had altijd broertjes en zusjes gewild, maar die waren nooit gekomen. En toen, zo rond mijn twaalfde verjaardag, merkte ik het: er was iets mis in ons huis – het huis waar we in dit land wonen. Mijn vader en moeder zeiden bijna niets aan tafel. De privé-taal die we altijd samen spraken – het kats – gebruikten we niet meer. Ik mag namelijk wel katten als huisdier, maar geen hond, want katten kunnen bijna helemaal voor zichzelf zorgen als we naar een ander land moeten en we ze moeten achterlaten; we hebben voor elk van de drie katten die ik hier heb een andere stem en we deden altijd alsof de katten opmerkingen over ons maakten. Bij voorbeeld, als ik met mijn elleboog op tafel zat, dan gebruikte mijn vader een kattestem om tegen me te zeggen dat ik ongemanierd at, en als mijn vader vergat mijn moeders wijnglas bij te vullen, gebruikte mijn moeder haar speciale kattestem om zich te beklagen dat ze werd overgeslagen. Maar de katten praatten niet meer, ze werden gewoon katten. Ik kon niet als enige hun stemmen gebruiken. Een kind kan zelfs niet met een kattestem vragen wat er eigenlijk aan de hand is. Zulke dingen vraag je niet aan volwassenen.

We gingen niet meer met ons drieën zwemmen. We zijn dol op zwemmen en vroeger gingen we vaak naar het zwembad van de consul-generaal. Maar mijn vader heeft me squash leren spelen en nam me mee uit harpoenvissen met mannen. De zee is erg wild hier en het is afschuwelijk om heen en weer te worden gesmeten door een branding vol stukjes plastic en rot fruit uit de haven, voor de boot de plaats bereikt waar je gaat duiken. Dat waren dingen die mijn moeder nooit deed: squash spelen en harpoenvissen. Ik vertelde haar over de zee, maar ze zei er niets over tegen mijn vader, ze nam het niet voor me op. Het leek een beetje op wat er met mij was gebeurd: alsof ze geen kattestem kon gebruiken om het hem te vertellen.

Hij – mijn vader – omhelsde me soms ineens, zo maar zonder reden, niet als hij ergens heen ging maar gewoon als hij de kamer uitging of als we elkaar tegenkwamen boven aan de trap. En mijn moeder moedigde me aan om in de weekends met vriendjes mee te gaan. Om bij hen te blijven slapen, weg van mijn vader en moeder. Ik heb er een keer in mijn eentje om gehuild, omdat het leek of ze me het huis uit wou hebben. Het kon niet zijn omdat ze alleen wilden zijn om te kunnen praten zonder een kind erbij, zoals volwassenen soms doen, al houden ze nog zo veel van je; ze zaten te zwijgen aan tafel, ze hadden elkaar niets te zeggen. De katten kregen nu en dan een brokje en zwegen.

En toch is het in die tijd gebeurd – de baby. Ze maakten een baby. Mijn moeder vertelde het me op een dag: ik krijg een baby. Ze keek me heel angstig aan. Om te kijken of ik het vervelend vond. Dat was niet zo. Ik weet natuurlijk hoe dat gaat, seks, hoe ze zwanger was geworden, wat mijn vader met haar had gedaan, hoewel ze niet tegen elkaar glimlachten, elkaar niet meer plaagden of om elkaar lachten. Negen maanden is een hele tijd. Ik werd dertien. Mijn vader was veel weg, op rondreis door het land. Vroeger ging ze vaak met hem mee en liet mij een paar dagen alleen, maar nu deed ze dat niet, vanwege de baby, zei ze. Dus waren we met ons beidjes. We zagen hoe ze langzaam veranderde, hoe de baby haar veranderde. Ik weet dat sommige jongens de borsten van hun moeder niet mogen zien, maar ze zwom altijd topless net als de andere dames in het zwembad van de consul-generaal, en ik was eraan gewend te zien hoe mooi die van haar waren, niet van die kleine, harde knopjes die meisjes hebben die iets ouder zijn dan ik, maar ook niet van die hangborsten die heen en weer zwaaien als de vrouw opstaat – ze waren zacht en stonden ver uit elkaar, omdat mijn moeder brede schouders heeft. Nu werden ze groter, ze voelden aan als met water gevulde plastic zakken als ze haar armen om me heen sloeg om me een nachtkus te geven, en ik zag boven de lage hals van haar nachtpon dat ze aan het veranderen waren, ze werden vlekkerig roze. Dat was vreemd. Het deed me denken aan een kameleon die langzaam, vlekkerig van kleur verandert als je hem op een bloem zet. Maar het kwam door de baby. Toen hij in haar begon te bewegen, legde ze mijn hand op haar buik, zodat ik het kon voelen. Het was meer horen dan voelen, hij klopte heel zachtjes. Dus legde ik mijn oor erop. Mijn moeder legde haar hand op mijn hoofd en ik luisterde en voelde. Het leek een beetje op morseseinen, zei ik tegen haar: hij gaf drie of vier korte klopjes, hield even op en begon dan weer. Wat zei hij daarbinnen? We lachten en verzonnen dingen die hij zei, zoals we met de katten hadden gedaan. Maar het was alleen maar wij tweeën en de baby. Hij was er niet bij.

Soms voelde ik gedurende die maanden in een droom die borsten tegen me aan, die aan het veranderen waren voor de baby, en dan werd het zo'n soort droom die heel normaal is voor een jongen om te hebben (dat hebben mijn vader en moeder me uitgelegd voordat ik ze kreeg). Je hoeft je daar helemaal niet voor de schamen, je moet juist genieten van die dromen; ik deed dan gewoon mijn pyjama in de was. Een andere keer droomde ik dat ik mijn oor op de plaats legde waar de baby was en dat die grote harde buik ineens veranderde in een goudviskom waar de baby in rond zwom en dat ik ernaar keek. Een goudkleurige baby, een grote goudkleurige vis zoals die vissen waar Hij op jaagde onder zee. Maar deze was van ons – van mijn moeder en mij – in haar viskom, en ik zorgde ervoor in die droom.

Ik was de eerste die de baby te zien kreeg. Ik zag hem toen hij precies veertig minuten oud was. Ik was de eerste die mijn moeder met de baby zag. Ik zat met mijn grootmoeder in de wachtkamer van het ziekenhuis en toen de zuster zei dat we naar binnen mochten om te kijken, rende ik vooruit en ik was er het eerst – zusters tellen niet mee, hij was niet van hen. Mijn moeder vroeg hoe laat het was en toen ik het zei, zei ze dat de baby precies veertig minuten oud was. Ze had me beloofd dat ze eraan zou denken om zodra hij was geboren aan de dokter te vragen hoe laat het was en ze had haar belofte gehouden. We keken samen naar de baby, zijn oren, zijn voeten, zijn handen; alles was in orde. Zijn ogen gingen niet open. We waren verbaasd over zijn haar, hij had een heleboel nattig zwart haar dat recht overeind ging staan toen ze het voorzichtig afdroogde met het hoekje van een deken. Wij hebben lichtbruin haar; mijn grootmoeder zegt dat mijn moeder kaal was toen ze werd geboren en mijn moeder zegt dat ik ook kaal was. De baby was heel anders dan wij. Geen van ons zei op wie hij leek. Het was gewoon de baby die we ons niet hadden kunnen voorstellen, die boodschappen had geseind en al die tijd haar lichaam had veranderd en er plotseling uit was gekomen. De week daarna zagen we hoe hij zichzelf veranderde, een eigen leven begon buiten het lichaam van mijn moeder, met mijn moeder en mij.

Hij was zo gezond toen hij werd geboren, dat de dokter zei dat we ermee naar huis konden vliegen toen hij pas negen dagen en tweeënzestig minuten was (ik heb het uitgerekend toen we zaten te wachten tot onze vlucht werd afgeroepen). Ze gaven ons de plaatsen helemaal vooraan en er was meer dan genoeg ruimte voor de spullen van de baby – de stoel aan de andere kant van het gangpad was onbezet, er zat alleen een dame met grijs haar op de plaats bij het raam. We praatten niet met haar. We hoefden met niemand te praten, we hadden niemand anders nodig. Ik zette onze grote reistassen zo neer dat mijn moeder er haar voeten op kon leggen. Toen vond ik een plaatsje voor de reiswieg en er bleef genoeg ruimte over voor mijn benen, hoewel ik lange benen begin te krijgen en mijn moeder de zoom uit mijn spijkerbroek heeft moeten halen. De baby was erg zoet. Hij huilde alleen als hij honger had en dan heel zachtjes, je hoorde het bijna niet door het lawaai van de lucht die door de straalmotoren wordt gezogen en het gepraat van de mensen op de rijen achter ons. Het leek meer of hij tegen mijn moeder en mij praatte dan dat hij echt huilde. Ik tilde hem elke keer uit de reiswieg, zodat mijn moeder zich niet hoefde te bukken of haar voeten op de grond te zetten. Hij lag lekker te zuigen, net alsof hij gewoon op de grond was en niet op tienduizend meter hoogte vloog met een snelheid van achthonderd kilometer per uur. Hij kon zijn ogen nu opendoen. Ze zijn groot en donker en glanzend. Hij keek naar ons, hij keek duidelijk van mijn moeder naar mij terwijl we keken hoe hij dronk – mijn moeder zei dat hij zich afvroeg of hij ons ergens eerder had gezien en ons was vergeten. Dat dacht zij. Ik dacht dat hij nieuwsgierig naar ons was. We zoenden hem allebei vaak op zijn hoofdje. Hij heeft zulk grappig haar.

De steward heeft me een woordpuzzel gegeven maar ik ben gewend aan computerspelletjes dus vond ik er niet veel aan. Ik probeerde hem terwijl mijn moeder haar ogen dichtdeed en een beetje rustte (het is vermoeiend een baby te voeden uit je eigen lichaam), maar dat betekende dat ik iets zou kunnen missen dat de baby deed – gapen, gezichten trekken – dus ging ik er niet lang mee door. Ik houd van ouderwetse rock-'n-roll – mijn moeder herinnert zich hoe ze daar vroeger op danste – en ik vond het nummer op de schijf waar ik die op kon horen, maar ik deed de koptelefoon telkens af omdat ik dacht dat ik mijn moeder iets hoorde zeggen. Misschien had ze iets nodig, je droogt uit als je een baby moet voeden, ik moest van die plastic bekertjes met water voor haar halen bij de automaat en ik bracht de luiers van de baby, in de plastic zakken die we daar speciaal voor hadden meegebracht, naar de wc om weg te gooien. Ik duwde ze door de gleuf waar *Airsickness Containers* op stond. We hadden alles voor de reis van te voren klaargemaakt, we hoefden niemand om iets te vragen. We maakten het ons makkelijk en gingen slapen, de baby veilig in zijn wieg. Zelfs met onze ogen dicht en de dekens over ons hoofd (mijn moeder is gevoelig voor licht en het maskertje dat ze had gekregen was te dun) wisten we dat de baby daar was.

Plotseling hoorde ik mijn moeder zeggen: daar is de rivier. Ik werd wakker en het was licht en ik leunde over haar en de baby heen en zag, ver beneden ons, door het raam, de hele rivier waarvan je de overkant niet kunt zien vanaf de kant waar wij wonen – zo'n brede stroom is het.

We waren er. Ik dacht niet aan Hem die daar op ons wachtte. Ik had zo veel te doen: de spullen van de baby inpakken, onze jassen uit het vak boven ons hoofd halen, ervoor zorgen dat mijn moeder niets kon vergeten. Vergeet niet dat we nooit eerder met de baby waren aangekomen, dit was de allereerste keer. De baby kende die plaats niet waar hij had geleefd, waar hij was ontstaan toen er iets mis was gegaan, waar hij al die maanden in de buik van mijn moeder was gegroeid, terwijl Hij het grootste deel van de tijd weg was. Ik was enorm opgewonden omdat we gingen landen met iets nieuws. Ik voelde me ook nieuw. Ik liep het trapje af achter mijn moeder die de baby voor zich hield, in haar armen, zoals ik haar wel eens een arm vol bloemen heb zien dragen. Ik droeg al onze andere spullen – de reistassen, de jassen, de reiswieg. We waren snel door de paspoortcontrole want de mensen laten je voorgaan in de rij als je een baby hebt. Maar we moesten op de bagage wachten. Zelfs nog voor de lopende band ging draaien, begon de baby te huilen. Hij was wakker geworden en had weer honger. Het duurde lang eer onze bagage kwam en de baby hield niet op. Mijn moeder ging op onze reistas zitten en ik knielde voor haar, zodat de mensen niet konden zien dat ze haar kleren losmaakte en de baby voedde. Hij was plotseling verschrikkelijk gulzig en hij pakte haar beet en trok. Net een jong geitje, zei mijn moeder, en we glimlachten naar hem en zeiden: moet je dat zien, hij verslikt zich nog, wat een slokop, moet je hem horen schransen. Toen keek ik op en zag Hem staan, ze hadden hem binnengelaten door de douane, ze laten hem altijd binnen op plaatsen waar anderen niet mogen komen, omdat Hij economisch attaché is. Ik zag hoe Hij ons vond, ons in het oog kreeg, naar mijn moeder en mij keek terwijl ze de baby voedde. Hij kon misschien zelfs haar borst zien van waar hij stond, Hij is lang. Hij gooide zijn hoofd achterover en zijn mond ging open, Hij was blij, Hij kwam naar ons toe. Toen voelde ik me heel blij en sterk, het was net zo'n soort gevoel als boos zijn, maar fijner, veel, veel fijner. Ik zag hem naar ons kijken en hij wist dat ik hem zag, maar ik keek niet naar hem.

De stilte is voorbij.

Dat zijn de woorden die zich telkens in zijn hoofd herhalen, vanaf het ogenblik dat de wekker vanochtend om vijf uur zijn elektronische pieptoon liet horen. Hij belde het vliegveld voor hij opstond en terwijl hij naar de eindeloze band met carillonklanken luisterde waarmee ze je bezighouden als je wacht tot Informatie de telefoon aanneemt, klonk dat zinnetje er telkens weer als tegenmelodie doorheen, zijn eigen stem die in zijn hoofd zei: 'De stilte is voorbij.' Omdat de affaire voorbij is. De stilte waarin de liefdesaffaire was verborgen, kostbaar en opwindend, iets waar zij niet aan mocht komen met haar woorden, dat kon hij niet toestaan, lijkt nu een verschrikking die hij heeft doorstaan. Meer dan een jaar van confidenties, onuitgedrukte gevoelens, emoties, anekdotes die hij niet kwijt kon, liggen pijnlijk, als een dikke laag, in hem opgesloten. Maar zij heeft een kind gebaard. Hij vraagt zich af hoe het zal zijn om haar terug te zien, nu ze bevrijd is van haar last. Haar lichaam was nu weer zoals vroeger, toen hij het dagelijks zag: hij had haar alleen aangekleed gezien in die periode dat haar lichaam groeide, uitzette, toen ze zich niet meer uitkleedde waar hij bij was, omdat ze niet met elkaar konden praten.

Het vliegtuig wordt op tijd verwacht. Hij trekt zijn linnen broek en zijn sandalen aan, de airconditioning blijft rammelen en stotteren, maar straks zal hij het God zij dank niet meer horen, dan zal het niet meer het enige geluid zijn in een leeg huis. Hij scheert zich, maar zet de aftershave terug op het plankje omdat – de gedachte komt in hem op als een golf van misselijkheid 's ochtends na een nacht brassen – hij daar altijd naar rook als hij thuiskwam van het bed en het parfum van een andere vrouw, een weinig geslaagde list, dat weet hij, want het was duidelijk dat hij had gedouched na de liefde, je komt niet met nat haar van het kantoor van de consul-generaal. Het was pure waanzin! Precies zoals hij gedurende dat jaar niet naar zijn vrouw kon kijken, haar niet eens zag als ze tegenover hem aan tafel zat, wordt hij nu zo in beslag genomen door andere gedachten, dat hij zich de vrouw, van wie hij al die tijd nog geen dag kon wegblijven, niet eens meer voor de geest kan halen. Terwijl hij op weg naar het vliegveld over de afgevallen gele bloemen van de cassiabomen rijdt, is de herinnering als een hand die beurtelings geschroeid en gebalsemd wordt: angst voor de verschrikkelijke ervaring van die heerlijke liefdesaffaire die net als de bomen bij deze plaats, bij deze post, hoort, en dankbaarheid voor de duurzaamheid van die bomen, deze post, waar hij binnenkort zijn werk zal hervatten. Niet lang geleden reden er tanks over deze weg, en de plekken waar hij was opgeblazen zijn hobbelig opgelapt met nieuw tarmac. Maar de vertrouwde bomen met hun gele bloesem zijn er nog. En hij ook.

Hij parkeert de auto, nu in alle onschuld, open en bloot: hij is er niet mee naar een clandestiene bestemming gereden, waar hij al met een erectie zou aankomen. Hij loopt langzaam naar het gebouw van de luchthaven toe, omdat dit pad tussen lage heggen van christusdoorn en hibiscus, die worden gestut als stamrozen – niemand zou geloven wat voor dingen een coup-poging overleven, terwijl mensen worden doodgeschoten – hem naar iets toe brengt dat zowel oud als nieuw is – niemand zou geloven wat voor dingen man en vrouw samen kunnen overleven.

Dit vervallen vliegveld dat hij vele malen gehaast en ongeduldig in en weer uit is gelopen, zal de plaats zijn waar het gaat gebeuren. Wat vreemd is dat. Plaatsen waar iets definitiefs gebeurt, zijn vaak zo passend ongeschikt. Hij is vroeg, eerst is de aankomsthal nog leeg, afvalbakken propvol lege bierblikjes lijken door een explosie tegen de muren geblazen, de versleten rode rubberen vloer, vol glinstertjes onder het vuil en de vlekken, lijkt uitgestrekt: hij staat alleen in het perspectief van een schilderij van De Chirico...

Deze flarden van filosofische generalisaties, fragmenten van het laagje cultuur en opvoeding dat de emoties die het leven beheersen bedekt, drijven zonder betekenis van hem weg. Ze komt thuis met een levende baby. Dat vlees, dat feit, is het gevolg van een nacht dat hij, thuiskomend van een weekendreisje met zijn minnares, zo boos was geworden over het verdriet van zijn vrouw, haar verlangen naar troost die hij haar niet kon geven, naar een woord dat hij niet kon zeggen, dat hij met haar begon te vrijen. Haar neukte. Het was niet eens fijn, want hij had met de andere vrouw gevreeën, extatisch, teder, had twee nachten bijna niet geslapen. Het was een daad die voor hen allebei beschamend was, zowel voor hem als voor zijn vrouw. Een daad die niet de functie kon overnemen van met elkaar praten. Het leek meer op een moord dan op het verwekken van een kind. Zonder die verschrikkelijke nacht zou er nu geen baby zijn geweest en – een steek van angst om het gevaar waaraan hij ternauwernood was ontsnapt – zou hij hier nu niet staan wachten, zou de liefdesaffaire misschien zijn hele leven hebben omgeploegd en niets overeind hebben gelaten.

De groepjes mensen die overdag op dit soort vliegvelden eerder lijken rond te hangen dan aan te komen of te vertrekken, begonnen de surrealistische leegte van de hal een menselijk en huiselijk aanzien te geven. De mannen komen pratend binnen, zwarte mannen schijnen altijd, dag en nacht, iets te bespreken, uit te leggen, te discussiëren te hebben. Ze zijn vast nooit eenzaam. De vrouwen met hun tulbanden zijn meer groepjes dan individuen, kinderen klimmen op hun moeders schoot en klemmen zich vast aan hun kleren, die zijn bedrukt met de symbolen van vis en fruit en het gezicht van de president omkranst door een gelukwens met zijn zestigste verjaardag, zodat ze tegelijkertijd hun prentenboeken zijn. De zwarten nemen hun kinderen overal mee naar toe, ze slapen onder hun moeders marktkramen, knikkebollen op hun moeders rug gebonden in de bierhallen – deze mensen zijn geen moment van hun kinderen gescheiden, althans niet tot ze pubers worden. Daarna worden de jongens in dit land soms ontvoerd door het leger van de rebellen of opgeroepen, nog voor hun baard begint te groeien, voor het jeugdarbeidscorps van de president en vaak komen ze dan nooit meer thuis, na al die geborgenheid als ze klein zijn, al dat lichamelijke contact, de warmte en geur van de huid, al die – liefde? Hij had geprobeerd de jongen buiten de stilte te houden, met hem te praten. Liefde te tonen. Dat wil zeggen, dingen met hem te doen. Maar eerlijk gezegd is de jongen niet mannelijk, hij is niet avontuurlijk – te móói. Hij lijkt te veel op haar, met die tere huid rond de ogen, die parelmoerachtige oren, haar lippen zoals ze zijn wanneer ze 's morgens wakker wordt, zonder het effect van lipstick nodig te hebben. Heerlijk als een vrouw zo is – ja, begeerlijk, precies wat een man verlangt, verleidelijk en uitnodigend (hoe had hij dat ooit kunnen vergeten, zelf voor maar een van de vijftien jaar?) Maar dit geldt niet voor een jongen. De jongen zwemt als een waterrat, maar hij zat te mokken toen hij hem meenam om met een harpoengeweer te vissen met volwassenen, een expeditie waar elke andere jongen dolgraag aan zou hebben meegedaan. En die ogenblikken waarop liefde plotseling, gedurende een ogenblik, iets anders betekende dan die andere vrouw, en zich uitte in een golf van verlangen naar lichamelijk contact, de lichaamsgeur van je eigen kind, de omhelzing van je kind – dat had hij niet begrepen, hij had zich er alleen aan onderworpen. Net als zijn moeder die nacht.

Hij verbiedt zichzelf op zijn horloge te kijken. Hij moet nog minstens een kwartier wachten. Die nacht – dat ze uitgerekend die nacht zwanger is geworden. Toen de jongen kleiner was, hadden ze geprobeerd een tweede kind te krijgen. Er was niets gebeurd. Al die tijd dat het in vreugde zou zijn verwekt, toen ze elkaar nog zo hartstochtelijk en zo vaak begeerden. En dat is natuurlijk de belangrijkste reden waarom de jongen zo is bedorven, zoals hij het bij zichzelf noemt, hij bedoelt het niet alleen in de betekenis van een te grote toegeeflijkheid jegens een enig kind. Het is trouwens ook zíjn schuld, het maakte deel uit van die gekte! Het heeft geen zin er nu om te treuren (een steek van verdriet) maar toen hij een kind bij haar had verwekt, zich had gedwongen tot seks, uit woede en schaamte over de aanblik van zijn slachtoffer, had hij daarna niet willen zien wat er met haar gebeurde, niet willen zien hoe haar lichaam zwol, en had zij van haar kant niet gewild dat hij haar zag. Ze was dagen en nachten achtereen alleen geweest met de jongen, de arme knul. En zelfs toen de tijd naderde dat de baby moest worden geboren, nog geen maand geleden, had hij de jongen met haar naar Europa gestuurd voor de bevalling. Hij had haar weggestuurd met als enig gezelschap een joch van dertien, terwijl hij zelf bij haar had horen te zijn (er klinkt een hees nasaal gemompel uit de luidsprekers, maar hij maakt eruit op dat dit het vertrek van een ander vliegtuig aankondigt) *hij had zelf bij haar moeten zijn*: de woorden beginnen weer door zijn hoofd te gonzen zodra hij zijn aandacht van de afleiding afwendt.

Dit offensief van wat er in het afgelopen jaar is gebeurd, dat komt opzetten vanuit de plaatsen waarheen hij het had verbannen, ontkent enerzijds het feit dat hij hier aanwezig is in de aankomsthal van het vliegveld, waar mensen om hem heen koude cassavepap eten of cola drinken uit de snackbar annex souvenirwinkel waarvoor juist de luiken zijn weggehaald, maar geeft anderzijds een bijzondere betekenis aan elk detail van deze plek, dit tafereel. Hij weet dat hij gedurende de rest van zijn leven de scheur in de bekleding van de stoel waarop hij zit, waar het vulsel uit puilt als darmen, zal kunnen voelen. Hij zal zich de hele etalage van de souvenirwinkel waar hij langs loopt en weer langs loopt, precies voor de geest kunnen halen: de rij ivoren olifantjes in oplopende grootte van bedeltje tot deurstop, de malachieten kralen, de koperen armbanden, de kartonnen kaarten met onder plastic gevangen ruimtemonsters tussen de dode kakkerlakken. Zij zijn zijn getuigen. Smakeloze, onaanzienlijke banale dingen leggen getuigenis af van de waarheid; de verheven emoties van een liefdesaffaire zijn de weelderige stoffering van de leugen.

Er flitst een groene ster aan op het bord dat aankomst en vertrek van vliegtuigen aangeeft. Hij staat op van de kapotte zitting. Het hindert niet dat de aankondiging onverstaanbaar is, hij vangt het nummer van de vlucht op, de groene ster blijft aan en uit flitsen. De ongelukkige nacht waarin hij zich dwong met zijn vrouw te vrijen en zij zwanger werd van die baby waar hij op wacht – dat is allemaal voorbij. Hij is haar man weer, haar minnaar. Hij is bij haar teruggekomen op een manier die haar duidelijk zal zijn zodra ze uit het vliegtuig is gestapt en hij haar omhelst. Het eind van zijn reis van haar vandaan zal samensmelten met het eind van haar reis, en ze zullen geheeld zijn. Ze zullen worden geheeld door de baby die zij van het vliegtuig naar hem toe draagt en die hij zal ontvangen.

De normale procedure van de bevoorrechting vindt plaats; de man van de douane herkent hem zoals gewoonlijk: iemand die is verbonden aan een buitenlands consulaat, iemand die zich niet aan de regels hoeft te houden die gelden voor de plaatselijke bevolking met hun bundeltjes en hun familieleden. Loopt u maar door, meneer, dank u, meneer. Hij is talloze malen op die manier langs een controlepunt gelopen, maar deze keer is anders dan alle andere.

Daar zijn ze.

Door een glazen scherm ziet hij ze bij de lopende band met bagage. Een beetje apart van de andere passagiers die om de bagageband heen staan. Wat mankeert de jongen? Waarom staat die jongen niet klaar om de koffers van de band te tillen?

Ze zijn een eindje van de andere passagiers vandaan, zij zit op die enorme reistas, hij ziet de hoek van haar knieën, naar opzij gebogen onder de plooien van een wijde blauwe rok. En de jongen zit voor haar geknield, waarachtig, hij knielt. Zijn hoofd is gebogen en haar hoofd is gebogen, ze kijken naar iets. Naar iemand. Op haar schoot, in de beschermende ronding van haar blote arm. De baby. De baby ligt aan haar borst. De baby is daar; het bloed stijgt naar zijn wangen als de werkelijkheid ervan tot hem doordringt. Hij blijft nog even staan, om het ogenblik vast te houden. Hij weet niet wat hij ermee aan moet. En op dat ogenblik draait de jongen zijn gezicht, zijn te mooie gezicht, naar hem toe en ontmoeten hun blikken elkaar.

Terwijl hij daar nog steeds staat, gooit hij zijn hoofd achterover en hijgt of lacht en dan wacht hij weer, voor hij naar hen toe rent, zijn vrouw, de baby, om hen op te eisen. Zijn kreet werpt een lus naar de jongen toe. Vang! Vang! Maar de jongen kijkt hem aan met het gezicht van een man en draait zich weer naar de vrouw toe alsof ze zijn vrouw is en alsof de baby door hem is verwekt.

BUIT

• • •

In de warmte van het bed brengt je eigen scheet de lucht van rottend vlees in je neusgaten: de lamskoteletjes die je gisteravond hebt verslonden. Gekruid met rozemarijn en met de papieren ruche van de begrafenisondernemer om de doorgesneden ribben. Alweer een lijk verteerd.

'Word dan vegetariër.' Ze heeft het al te vaak gehoord, ze heeft er genoeg van, heeft genoeg van het feit dat ik er genoeg van heb, heeft genoeg van de dingen die ik zeg, die nu en dan naar boven komen.

'Ik wil er niets mee te maken hebben.'

We luisteren naar het nieuws.

'Wat bedoel je? Waar heb je het over? Wáármee?'

Tja, waarmee? Of liever, met wat in het bijzonder? Welk van die dingen heb ik gekozen om niets mee te maken te willen hebben: de jongen die een steen naar de politie heeft gegooid waarna ze zijn beide armen hebben gebroken en die is verkracht door de gevangenen bij wie hij in de cel was gesmeten, de ontvoerde diplomaat en de groep (mannen zoals ik een man ben, vrouwen zoals zij een vrouw is) die zijn ringvinger over de post naar zijn familie heeft gestuurd, het meisje dat ze met benzine hebben overgoten en levend verbrand omdat ze een verraadster zou zijn, de mensen die verhongeren ten gevolge van de droogte of verdrinken ten gevolge van overstromingen, ver weg, de negentienjarige zoon van meneer en mevrouw... die werd gedood door het natuurgeweld van 220 volt toen hij een elektrische verfspuit gebruikte voor zijn motorfiets, hier vlakbij. De dingen die worden gepland, verzonnen, uitgevoerd door mensen als ik, of de toevallige dingen, zinloos, uitgevoerd door onverschillige natuurkrachten. Zìnloos. Waarom hebben de bewuste handelingen die doden opleveren meer zin? Bewustzijn is zelfbedrog. Intelligentie is een leugenaar.

'Dat zijn heus geen verheven gedachten van je. Zo is het leven.'

Haar filosofie van de schoonheidssalon. Afgezaagd, dierlijk, passief. Of ik nu kies of niet; niet kan kiezen, niet kan verkiezen er niets mee te maken te hebben.

De dagelijkse necrofilie.

'Word dan vegetariër!'

Als er andere mensen bij zijn, zal niemand vermoeden dat er iets mis is. Dat weet hij; zij weet dat hij het weet, dat hij er een soort eer in stelt zich precies zo voor te doen als anderen zich voorstellen dat hij is, precies die bijdrage te leveren aan hun bijeenkomst die op grond van zijn plaats erin van hem wordt verwacht. Het gezelschap dat voor het weekend is uitgenodigd in een jachthuis in een privé-wildreservaat, zal bestaan uit de praktische man die goed kan improviseren, de clown die zijn vingers brandt aan het kampvuur en de anderen aan het lachen maakt, de vrouw die aldoor aan het werk is om iedereen van eten te voorzien, het knappe meisje dat een seksueel element aan de bijeenkomst toevoegt, de vrolijke Frans die ervoor zorgt dat iedereen tot laat in de avond blijft zitten drinken, de stille figuur die op een afstandje naar de bush zit te staren, een stuk of wat nieuwelingen voor de ballast, die misschien of misschien ook niet voor wat serieuze conversatie kunnen zorgen. Laten we maar gaan. Nee? Ook al goed. Heeft hij misschien iets anders in zijn hoofd dat hem meer kan behagen? Zeg het dan.

Niets.

Nou dan.

Hij is, anders dan de clown, de charmeur vol spitsvondige grapjes. Hij kent bijna ieders zwakheden, hij begint anekdotes te vertellen, hij geeft vriendelijke plaagstoten die mensen het gevoel geven dat ze een 'tiep' zijn.

Wat voor temperament ze ook hebben, het zijn allemaal natuurliefhebbers. Daar hoeft niemand zich voor te schamen – zelfs hij toch zeker niet. Hun liefde voor de vrije natuur brengt hen bijeen: het welgestelde echtpaar, dat liever het reservaat en het jachthuis heeft dan renpaarden of een schip, het aantrekkelijke meisje, dat als model werkt of iets in public relations doet, de vrolijke Frans, directeur van een mijnbedrijf, de avontuurlijke effectenmakelaar, de jonge arts, die voor het salaris van een kantoorbediende in een ziekenhuis voor zwarten werkt, de als clown optredende antiekhandelaar... En hij heeft het recht niet zich superieur te voelen, omdat hij serieuzer of hoogstaander zou zijn dan de anderen in dit gezelschap (dat weet hij), want er is een jonge man bij die om politieke redenen in de gevangenis heeft gezeten. Die man veroordeelt de kinderlijke genoegens van zijn medeblanken niet, zolang het regime nog bestaat dat hij, ook al kost het hem zijn vrijheid, ook al moet hij ervoor doden, wil verdrijven. Zo is het leven.

Door je te gedragen – zonder dat iemand het doorheeft – zoals men verwacht dat je je zult gedragen, bescherm je jezelf ook tegen de angst voor wat je werkelijk bent, tegenwoordig. Misschien is hij ook de man die men in hem ziet, de charmeur die spitsvondige grapjes maakt. Hoe kan hij dat weten? Hij doet het zo goed. Zijn vrouw ziet hem met blote voeten, zijn armen om zijn knieën geslagen, op het platform zitten vanwaar het gezelschap buffels gadeslaat die het riet bij de rivier vertrappen. Ze hoort zijn geestige terzijdes terwijl hij door een kijker tuurt, merkt op dat hij zijn hemd heeft losgeknoopt met de gezonde zelfverzekerdheid van zijn door de zon verbrande mannelijke borst: zijn het zwijgen en de onbegrijpelijke opmerkingen waarmee hij dat verbreekt wanneer hij alleen met haar is een manier om haar te kwellen? Doet hij het alleen om haar te ergeren, te straffen? En waaraan heeft ze die straf verdiend die hij niet aan anderen oplegt? Laat hij zijn mond houden. Valium slikken. Wat dan ook. Vegetariër worden. In de middaghitte trekt iedereen zich terug op zijn kamer of zijn geïmproviseerde bed op het beschaduwde deel van het platform, slaperig van de bij de lunch genuttigde wijn. Zelfs op de hun toegewezen kamer, buiten het gezicht van het gezelschap (maar er zit alleen een dun muurtje tussen, hij weet dat ze er zijn) blijft hij zich gedragen zoals van hem wordt verwacht. Het is zo heet dat ze al hun bovenkleren hebben uitgetrokken. Hij streelt met zijn hand over haar vochtige borsten, slaakt een lome zucht en valt op zijn rug in slaap. Zou hij haar tepels in zijn mond hebben willen nemen, zich hebben verplicht tot vrijen, als hij niet in slaap was gevallen, of was het een gebaar achter de coulissen, voor het geval dat het publiek nog net zou kunnen zien hoe de speler inzakt wanneer hij het toneel heeft verlaten.

Het gezelschap is als het vuur dat de bediende binnen de met riet afgeschermde palissade achter het huis aansteekt als de schemer valt. Je weet nooit wanneer een vuur in de open lucht zal gaan roken of helder branden en hoog opvlammen, zoals dit. Je weet nooit of mensen tijdens een kleine bijeenkomst op een afstand en stug zullen blijven of dat, zoals deze keer, mannen en vrouwen een vrolijk gezelschap zullen vormen, waar de vonken van afspatten. De ceremonie van het avondmaal was een beetje lachwekkend, maar misschien was dat met opzet zo en dus leuk.

Een parodie op de oude koloniale tijd: de palissade tegen de wilde dieren, de zwarte man die op een trom sloeg om de maaltijd aan te kondigen, de stoelen die zorgvuldig, een flink eind van het vuur, in een kring waren gezet als voor de gebedsbijeenkomst van een zendeling, de whisky en wijn die klaar stonden, de geur van verschroeid vlees van de barbecueroosters. Kijk omhoog: de eerste ster in de nevelige lucht is de mastlamp van een schip dat de haven uit vaart, wegdrijft, de verbinding met deze wereld verbreekt. Kijk omlaag: de blauwe vlammen zijn alleen maar brandend vet, er liggen afgekloven botten op de geveegde grond. Hij heeft veel gedronken had ze gezien: om het allemaal te kunnen verdragen, maakt hij zichzelf zeker wijs.

Het vuur flakkert onder de as en het orkestje van insekten die hun eigen lichaam als strijkinstrument gebruiken door poten tegen poten, vleugels tegen dekschilden te wrijven, is tot zwijgen gebracht door de opkomende maan. Maar er klinkt nog steeds gelach. In de immense nacht – niet verkleind door gebouwen, niet verstrikt in hoogspanningsmasten en kabels, niet door straatlantarens en verlichte vensters gereduceerd tot bewoonbare nissen – worden het gelach en de stemmen een zwervend geluid dat het ene ogenblik stoutmoedig opstijgt naar de hemel boven hen en het volgende een golf voortbrengt die zo zwak is dat hij bijna al wegsterft zodra hij de lippen verlaat. Iedereen valt iedereen in de rede, redeneert, plaagt. Er zijn wrange ogenblikken: er spat scherp sap uit de druiven die ze eten, als ze erin bijten. Een van de zwijgzame gasten is spraaklustig geworden, zoals soms gebeurt met mensen die nooit met een idee of een eigen mening durven komen, maar in staat zijn om, als het onderwerp er aanleiding toe geeft, wetenswaardigheden te spuien die ze hebben gelezen en in hun geheugen geprent. Vleermuizen: fladderende lapjes stof, donkerder tegen het donker. Toen een vrouw angstig in elkaar dook, opperde iemand dat de angst ervoor voortkomt uit het feit dat je ze niet hoort aankomen.

'Als je je ogen dichthoudt en er komt een vogel overvliegen, dan hoor je de weerstand van de lucht tegen zijn vleugels.'

'En je kunt ook niet zien hoe ze er precies uitzien, waar de kop zit – alleen maar een dìng, brrr!'

De zwijgzame gast zat al uit te leggen: nee, vleermuizen botsen nooit tegen je op, maar dat komt niet, zoals algemeen wordt gedacht, doordat ze een ingebouwd radarsysteem hebben; het is een sonarsysteem, of echopeiling...

'...Ik heb een jas van luipaardbont!'

De uitdagende sopraan, opklinkend uit een andere conversatie, breekt door zijn monoloog heen en leidt de aandacht van hem af.

Het is het aantrekkelijke meisje. Ze heeft zich ingevet tegen een hele dag blootstelling aan de zon en de elegante lijnen van haar gezicht weerkaatsen het broze licht van de halve maan, een opflikkerende vlam van het vuur, de lichtkring van een aansteker. Ze is bijna mooi. '...Horen jullie dat!' 'Glynis, waar heb je dit meisje vandaan gehaald?' 'Zullen we haar eruit zetten om te worden opgevreten door haar prooi? Zullen we haar vastbinden op een rots?'

'Er zijn hier jammer genoeg geen luipaarden.'

'Die jas zou een luipaard veel beter staan dan jou.' De man van de spitsvondige grapjes deed zijn reputatie geen eer aan, herhaalde alleen in scherpere, meer persoonlijke bewoordingen wat iemand anders, niemand wist meer wie, al heel goed had uitgedrukt. Hij sprak direct tegen het meisje, terwijl de anderen het plagend, half verontwaardigd over haar aanwezigheid hadden. Maar zijn opmerking, die niet uitsluitend leek ingegeven door bezorgdheid over het milieu of esthetische overwegingen, scheen de belangstelling van het meisje voor deze man op te wekken. Ze was zich voor het eerst, in de ware betekenis van het woord, bewust van zijn aanwezigheid.

'Wacht maar tot je me erin ziet!' Precies de juiste toon van onafhankelijkheid en lichte vijandigheid.

'Dat kan geregeld worden.'

Het was een gesprek tussen hen beiden geworden, tussen het geroezemoes van andere gesprekken. Hij antwoordde, zoals van hem werd verwacht, met het soort opmerking waarmee mannen en vrouwen te kennen geven dat ze chemische reacties bij elkaar opwekken. En toen zei ze het, als een vleermuis geleid door echopeiling of wat het ook is, reagerend op een vibratie die werd uitgezonden door de walging die in hem leefde: 'Zou je me liever in een schapevacht zien? Je eet toch zeker wel eens lamsvlees, neem ik aan?'

Het is gemakkelijk haar af te schudden te midden van het drukke gepraat en gelach, mee te praten over een ander onderwerp en niet op haar uitdaging in te gaan. Zijn aandacht wordt door iets anders afgeleid – er is veiligheid, misschien redding te vinden bij de ex-politieke gevangene. De gevangene houdt de hand van zijn vriendin vast, geen schoonheid met haar nerveus ontblote, grote tanden, maar een en al liefde. De laatste plaats waar je liefde kunt vinden is in schoonheid, schoonheid is alleen maar een huid, van de betrokkene zelf of van een ander dier, die het verval bedekt. Liefde vind je in de gevangenis, deze niet-mooie vrouw heeft van hem gehouden toen zijn lichaam afwezig was; en hij heeft van zijn broeders gehouden – hij praat over hen, hoewel hij het woord niet gebruikt, maar het is zo duidelijk wat hij bedoelt: hoewel ze zitten opgesloten met hun eigen strontemmers, houdt hij zelfs van de moordenaars, die hij de hele nacht hun doodshymne hoorde zingen voor ze in de ochtend werden weggeleid om te worden gehangen.

'Gewone misdadigers? In dit land? Onder wetten als die van ons?'

'O, ja, wij politieken werden afzonderlijk van hen opgesloten, maar na verloop van tijd (ik heb er tien maanden gezeten) lukte het ons met hen te communiceren. (Er zijn zo veel manieren waar je nooit aan denkt, buiten, als je het niet nodig hebt.) Een van hen – jong, van mijn leeftijd – was al tot een geharde crimineel verklaard, veroordeeld tot een gevangenisstraf van onbepaalde duur. Als politieke gevangene ben je in zekere zin ook voor onbepaalde duur veroordeeld, dus ik had enig idee...'

'Jij had niet geroofd en gemoord – hij moet dat keer op keer hebben gedaan.'

'O, dat had hij ook. Maar ik was niet geboren als bastaard van een keukenmeisje dat geen ander thuis had dan haar kamertje op het achtererf van een blanke vrouw, ik was niet naar een "thuisland" gestuurd waar de vrouw die voor me moest zorgen honger leed en haar man volgde naar een krottenwijk bij Kaapstad om werk te zoeken. Ik had niet gebedeld op straat, het voedsel dat ik nodig had gestolen, lijm gesnoven om me te troosten. Hij kreeg zijn eerste nieuwe kleren, zijn eerste echte bed, toen hij zich aansloot bij een bende autodieven. Het gewone lot, de gewone misdadiger.'

Het gewone zielige verhaal.

'Als hij je buiten de gevangenis was tegengekomen, had hij je neergestoken voor je horloge.'

'Dat is mogelijk! Kun je "Dit is van mij" roepen, tegen mensen die hun land zijn kwijtgeraakt door verovering, een gigantische roofoverval met de geweren van een wereldmacht?'

En de bommen op straat, in auto's, in supermarkten, die doden voor een moreel noodzakelijk doel, geen misdadig doel (o nee, een misdadiger doodt uit eigenbelang) – die brengen hem niet in de war of bederven de broederschap voor hem. Hij is moedig genoeg om het allemaal te slikken. Zonder te hoeven braken.

Het gepraat en gelach houden op. Je komt niet naar de bush om over politiek te praten. Het is een van die waakzame stiltes, opgeroepen door iemand die boven de menselijke stemmen uit een kreet heeft gehoord. *Sssst*... Een keer was het het ordinaire gejank van jakhalzen en – dichterbij – het nasale gehuil van een hyena, het dier met de grote neusgaten, zo geschikt om vergoten bloed te ruiken. Dan een hoge kreet die niemand herkende: een haas die werd geslagen door een jagende uil? Een wrattenzwijn, aangevallen door – wie? Wat gebeurt er daar onder de dieren, die andere orde, in hun nacht? 'Zij leven vierentwintig uur per dag, wij verspillen het donker.' 'Maar Norbert, jij was altijd zo'n nachtbraker!' En de jonge arts oppert: 'Ze jagen in ploegen om in hun onderhoud te voorzien, net als wij. Sommige slapen overdag.' 'Jawel, maar zij zijn als verschillende soorten ontwòrpen, om actief gebruik te kunnen maken van alle vierentwintig uren van de dag. Wij zijn een van de soorten die alleen voor het daglicht zijn gemaakt. Nog niet zo veel generaties terug – in de pre-industriële tijd, niet langer geleden – gingen we slapen als het donker werd. Als de energievoorraden van de wereld ooit zouden opraken, dan wordt het weer zo. Geen elektriciteit. Geen nachtploegen. Er is geen enkele onderafdeling van onze soort die in het donker kan zien. De vleermuisdeskundige grijpt deze nieuwe kans aan: 'Er is onderzoek gedaan met instrumenten waardoor je in het donker kunt zien, ze zijn gebaseerd op...'

'*Sssst*...'

Gelach als het gerinkel van een vallend glas.

'Hou je mond, Claire.'

Ze luisteren allemaal, doodstil, met alleen een glinstering van bewegende ogen.

Het is moeilijk te bepalen wat ze precies horen. Een hijgen dat net geen gegrom wordt. Een boerend geluid; geritsel, geritsel – maar dat kan ook de wind zijn in dorre bladeren, het is niet het droge geknister van rietstengels bij de rivier, het komt van de andere kant, achter het huis vandaan. Er is daar ergens een bijeenkomst, een andere bijeenkomst. Er vindt een communicatie plaats waarop hun oren niet zijn afgestemd, die hun verstand niet kan decoderen; een gebeurtenis die totaal buiten hen staat. Zelfs de ex-politieke gevangene weet niet wat hij hoort; hij die door gevangenismuren heen signalen heeft opgevangen, hij die zoveel meer heeft gedecodeerd en begrepen dan de anderen. Hij bezit tenslotte alleen maar menselijke kennis, ook hij leeft geen vierentwintig uur per dag.

De stilte wordt verbroken door de zwarte man, die rinkelend met een blad vol glazen die hij net heeft afgewassen aan komt lopen. De gastheer gebaart: stil, ga weg, laat die vaat staan. Hij komt naar hen toe met de glimlach van iemand die weet dat hij iets te bieden heeft. 'Leeuwen. Zij doden, een, misschien twee. Zebra's.'

Ze beginnen allemaal door elkaar te praten, als schoolkinderen wanneer de bel gaat.

'Waar?'

'Hoe weet hij dat?'

'Wat zegt hij?'

Hij laat ze even in spanning, met opgeheven hand, de palm omhoog, roze van de onderdompeling in het sop. Hij veegt hem af aan zijn schort. 'Mijn vrouwen hebben gehoord, ginds in mijn huis. Zebra, en nu eten ze hem. Die kant op, daar, achter het huis.'

De naam van de zwarte man is te moeilijk om te kunnen uitspreken. Maar hij is niet langer naamloos, hij organiseert een expeditie: ze pikken een verkorte versie van zijn naam op van hun gastheer. Siza heeft de oude vrachtwagen, met voor- en achterwielaandrijving, die is omgebouwd tot een grote combi, uit het schuurtje naast zijn huis gehaald. Iedereen wil mee; dit is een van de attracties die de gastheer had gehoopt hun te kunnen bieden, hoewel je er nooit zeker van kunt zijn dat het zal lukken. Samendrommend leggen ze bij het licht van een zaklantaren de honderd meter af van het jachthuis naar dat van Siza, onder de mopaniebomen door, langs het bed cannalelies met zijn rand van witgekalkte stenen (de gastheer heeft het nooit over zijn hart kunnen verkrijgen tegen Siza te zeggen dat bij dit soort huis van een blanke niet dit soort tuin van een blanke hoort) naar het veldje met pompoenen en tomaten van Siza's vrouwen. Siza is bezig met een stukje ijzerdraad de deurkruk van de wagen te repareren terwijl hij in zijn eigen taal allerlei bevelen uitdeelt aan zijn gezin, dat eromheen staat. Een klein jongetje loopt hun voor de voeten en hij tilt het op en zet het ergens anders neer. De twee vrouwen dragen traditionele tulbanden, maar de ene heeft een T-shirt met een opgedrukte reclame aan; meisjes hangen snaterend aan hun armen. Jongetjes staan zwijgend te dansen van opwinding.

Siza's status in deze situatie wordt duidelijk wanneer de twee vrouwen en hun kinderen het gezelschap niet nawuiven maar bij ze in de auto klimmen, zodat ze lijf aan lijf tegen elkaar aan gedrukt zitten. De kinderen, hun knobbelige hoofdjes bedekt met onwennig aanvoelend kroezend haar, zoeken handig een plekje voor de droge harde zolen van hun blote voetjes tussen de schoenen van de gasten; naast het meisje met haar ingevette gezicht, haar harde, slanke lichaam en een parfum dat naar lelies ruikt, het mollige zachte vlees van een van de vrouwen, die de geur meedraagt van een houtvuur. 'Zijn we er allemaal? Zit iedereen goed?' Nee, nee wacht, iemand is teruggegaan om een vergeten flitslamp te halen. Siza heeft de motor gestart, de hele wagen schokt en trilt.

Er is geen behoefte aan geestigheden. Noch aan flirten. Hij doet wat van hem wordt verwacht: rent naar het huis om een trui te halen voor het geval zijn vrouw het koud mocht krijgen. Hij wringt zich met moeite langs de anderen heen; zij probeert een zwart kind op schoot te nemen, maar het kind is te verlegen. Hij laat zich zo goed en zo kwaad als het gaat op het nauwe plekje zakken dat nog vrij is. Het voertuig rijdt weg, alle lichamen, bekend en onbekend, worden tegen elkaar aan gedrukt, zwaaien heen en weer, zijn met elkaar versmolten, voelen elkaars ademhaling. Ze glimlacht naar hem, buigt haar hoofd een beetje naar opzij, terwijl ze een luchtige opmerking maakt over de opeengeperste massa, alsof hij iemand anders was: 'Op naar de executieplaats.'

Uitstappen kan niet.

Het is volkomen veilig als iedereen in de wagen blijft, en de raampjes dicht graag, zegt de gastheer. In het schijnsel van de koplampen zag Siza bomen als alle andere bomen, struiken als alle andere struiken, die voor hem wegwijzers zijn. Hotsend door struikgewas, over boomstronken, mierehopen en geulen, had het voertuig zich bewogen over zijn rijweg. Hij is plotseling gestopt en daar zijn ze: schimmige vormen en onverwachts oplichtende spleetjes, in de schemerige grot van het geboomte die, nog net binnen het bereik van de koplampen, in hun schijnsel lijkt te ontstaan, zoals in de stralen van een omhoog gehouden kaars zich zwakjes een grot lijkt af te tekenen. Siza rijdt er langzaam op af, terwijl zijn menselijke lading in slow motion zwaait en meehotst. Vier gestalten komen langs het pad van lichtbundels dichterbij en blijven staan. Hij stopt. Stofjes, flarden van planten, afgerukt blad en stukjes schors dwarrelen omhoog in het licht van de koplampen waarin, op nog geen tien meter afstand, vier leeuwinnen staan. Hun ogen zijn nu wijd open, gele edelstenen, groot in het schelle licht waar ze zonder te knipperen in kijken. Hun muil hangt open en hun koppen schudden op en neer met hun hijgende ademhaling, hun lijven zijn blaasbalgen die uitzetten en zich samentrekken tussen de stijf gespannen schoften en de zware, smalle schouders waar de kop op steunt. Hun tong is zichtbaar als een rode lap, de randen aan weerskanten een beetje opgeduwd door lange witte snijtanden.

Ze zijn met bloed bevlekt en, in menselijke ogen, geslachtsloos, want hun soort vrouwelijkheid is onvrouwelijk, hun dreigende kracht misplaatst, omdat die wordt geassocieerd met de man. Hun enige schoonheid ligt in het almachtige doel van hun houding. Er is niets anders te lezen op hun magere koppen: niets dan de werkelijkheid van de half volgroeide en jongere welpen, die achter hen in het karkas van de zebra staan te rukken en trekken aan bloederige lappen vlees.

De poten en kop zijn nog intact in hun nuffig zwart-wit gestreepte jurk. Het dier is, wordt, leeggegeten. De ingewanden zijn verdwenen; de half verteerde grassen die in de maag zaten, liggen op de grond gestrooid, kijk, daar – iemand maakt hen er fluisterend op attent. Maar zelfs de fluisterende stem is een overtreding. De leeuwinnen maken geen geluid. Ze laten geen gebrul horen, wat de dreiging tot iets herkenbaars zou maken, iets waar je op zou moeten reageren. Geluid is niet het medium voor deze confrontatie. Kijken. Dat is alles. De ademende kluit mensen met hun bonzende harten in de vrachtauto slaat de welpen gade die met elkaar vechten om een plekje in het kadaver; de ademende kluit mensen met hun bonzende harten wordt gadegeslagen door de leeuwinnen. De dieren kennen geen tijd, het enige dat telt is het stillen van hun honger. Voor de anderen vangt de tijd plotseling weer aan als de vriendin van de jonge arts geluidloos begint te huilen en de zwarte kinderen hun ogen van het tafereel afwenden en de tranen op haar wangen zien glinsteren, zich verbazend over haar angst. De jonge arts wil dat ze terugrijden naar het huis; het pact is verbroken, sommigen protesteren, waarom nou, nee, nee, ze willen blijven en kijken wat er gebeurt, een van de leeuwinnen is uit de rij gestapt en snauwt naar een gulzig jong, mept het uit de leeg gevreten prooi. Je hoeft nergens bang voor te zijn, de auto is volkomen veilig, als je maar geen raam open doet om te fotograferen. Maar de arts houdt vol. 'Het is een oude wagen, er zit een grote barst in het chassis, we zijn overbelast, we zouden hier de hele nacht kunnen vastzitten.'

'Onwerkelijk.' Terug in hun kamer komt de vrouw voor de dag met een van die stopwoorden die hun lexicografische betekenis hebben verloren, zodat ze toepasselijk zijn op elke ervaring die de spreker niet nader wenst uit te leggen. Als hij niet reageert, blijft ze een ogenblik in de deuropening staan, haar nachtgoed in haar armen, glimlacht, schudt even haar hoofd om aan te geven hoe overweldigend het allemaal was.

Enfin. Wat verwachtte ze anders? Waarom waren ze eigenlijk gekomen? Ze hadden beter thuis kunnen blijven. Hij wil dus niet op het platform slapen, onder de blote hemel? Onder de sterren. Goed. Dan maar geen sterren.

Hij ligt alleen. De muggen hangen onderste boven aan het witte hardboard van het plafond te wachten op zijn bloed.

Nee. Niet onwerkelijk. Wèrkelijk. Alleen kan hij het vasthouden, precies dat ene: de absolute stilstand, het bestaan zonder tijd, en zonder tijd is er geen verband, in die toestand heb je echt nergens iets mee te maken, het kan niet eens, daar onder de blik van de leeuwinnen. Tussen de dieren en de lading mensen is leegte: meer begeerd en angstaanjagender dan iemand zich ooit zou kunnen voorstellen; hij weet niet of hij slaapt of dood is.

Ze hebben de zondag nog. De logeerpartij is nog niet voorbij. Iemand heeft de leeuwen midden in de nacht om het huis horen lopen. De scepsis waarmee deze bewering wordt begroet verdwijnt snel als er duidelijke prenten worden gevonden in het stof rond het kleine zwembad waarin de gasten als in vruchtwater worden ondergedompeld in hun eigen lichaamstemperatuur. De gastheer is niet verbaasd, het is vaker gebeurd. De leeuwinnen moeten naar het zwembad zijn gekomen om hun dorst te lessen na hun feestmaal. En de geur van menselijk zweet, zo dichtbij op het platform, in de vochtige nacht, hun zuchten en slaapgeluiden? Het genot en de angst die werden uitgestraald door hun dromen?

'Wat de leeuwen aangaat, bestonden we niet.' Uit de mond van het aantrekkelijke meisje klinkt de opmerking half als een vraag, die in de lucht blijft hangen.

'Met een volle maag ruik je geen bloed.'

Legt de ex-gevangene misschien een verband met de klassenstrijd? plaagt de man van de spitsvondige grapjes, en de ex-gevangene zelf waardeert de grap het meest.

Nadat de muggen hun honger hadden gestild, kwam de slaap, even onverschillig als die andere toestanden van het lichaam, honger en dorst. Enorme trek in verse papaja's met spek, *boerewors* en eieren. Hij had honger, net als ieder ander. Zijn vrouw biedt hem een tweede portie aan, misschien moet hij worden bijgevoed, er bestaat een theorie dat alle ziekteverschijnselen in werkelijkheid een lichamelijke oorzaak hebben. Bezeten van rechtvaardigheid – wat er mis is met de wereld, is een ziekte die jij in je eentje niet kunt genezen, zo is het leven nu eenmaal. De man die in de gevangenis heeft gezeten lijdt misschien aan een gebrek aan iets – aminozuren, vitamines; of een teveel van iets, overdadige voeding als kind of een te actieve schildklier. Er wordt onderzoek naar gedaan.

Siza bevestigt dat de leeuwinnen zijn komen drinken. Ze zijn langs zijn huis gekomen, hij heeft ze gehoord. Hij vertelt dit met de veelbetekenende glimlach van iemand die op de hoogte is van een heimelijk verkeer tussen slaapkamers. Na het ontbijt zal hij het gezelschap bij daglicht laten zien waar de leeuwinnen de vorige nacht hun prooi hebben gedood.

'Maar valt er dan iets te zien?'

Siza is geduldig. 'Zij niet alles opgegeten. Is te veel. Daarom zij laten iets over, vanavond zij komen terug om op te eten.'

'Nee, bedankt! Laten we ze liever met rust laten.' Maar ze hadden de jonge arts en zijn vriendin toch niet mee willen hebben, met de kans dat ze het uitstapje weer zouden bederven.

'De leeuwen zij slapen nu. Zij weggegaan. Komen vannacht terug. Zijn nu niet daar.'

De vrouw slaat haar man gade om te zien of hij en zij mee zullen gaan. Ja, hij klimt lenig in de oude vrachtwagen met het gebarsten chassis, hij helpt de gastvrouw erin, hij heeft iets tegen haar gezegd en ze begint te lachen en tuit haar lippen.

De zwarte vrouwen staan wasgoed te stampen bij een tobbe voor het huis. Zij noch de kinderen gaan deze keer mee... Deze keer is er genoeg ruimte om adem te halen zonder contact. Alles is anders bij daglicht. De leeuwinnen zijn inderdaad weg; de toestand die hij vannacht bereikte is op dezelfde manier afwezig, net als zij verdoofd door het daglicht.

Geen leeuw te zien. Siza heeft de wagen gestopt en is uitgestapt, maar gebaart naar de passagiers dat ze moeten blijven zitten. Het is stil in de bush, tere peulen die openbarstend hun zaad op de wind verspreiden, zweven traag in spiralen door de lucht. Ze praten allemaal door elkaar. De effectenmakelaar stapt uit en iedereen schreeuwt naar hem. Goed. Goed. Op zijn gemak, om te laten zien dat hij niet bang is, klimt hij weer aan boord. 'Leeuwen zijn geen stieren of beren, Fred.' Ze lachen om de vriendelijke spot waarmee de spitsvondige man zijn imago in stand houdt – iedereen vindt het grappig, behalve de effectenmakelaar zelf, die weet dat de opmerking op zijn beurt weer de spot drijft met zijn eigen imago van iemand van wie je nooit zou denken dat hij effectenmakelaar was.

Siza komt terug en wenkt. Ze stappen allemaal snel uit. En nu is de leegte van de bush onbetrouwbaar, overal om je heen, je kunt niet zien wat zich achter de dode struiken, stammen en gelaagde schermen van takken die het zicht tot drie meter beperken, kan verschuilen. Ze praten alleen gedempt, met het gevoel dat er iets op hen loert. De zwarte man gaat ze voor over wat bijna een geveegd pad lijkt, maar het is geveegd door een groot lichaam dat over het stof en de dode bladeren is gesleept: daar is het karkas van de zebra, half verborgen in een bosje.

'Geen sporen van autobanden, zo ver zijn we niet gekomen! Dit kan nooit de goede plek zijn.'

'Zij slepen hem hierheen voor als ze vannacht terugkomen.'

'Wat! Om het vlees vers te houden?'

'Omdat de vogels het niet mogen zien.' Siza zegt een naam in zijn eigen taal.

'Hij bedoelt gieren. Gieren, hè, Siza.' Een pantomime van de in elkaar gedoken houding van de gieren.

'Ja, die grote vogels. Kom, kijk hier...' De rondleiding wordt voortgezet. Hij brengt ze een paar stappen voorbij het karkas en blijft staan naast een heuveltje waar aarde overheen is gekrabd of geschopt. Het zit vol vliegen met metalig groen en goud glinsterende ruggen. De zwarte man heeft de aandacht van zijn gehoor: hij raapt een takje op en port in het heuveltje dat onder het zand begint te bewegen als met bloem bestrooid vlees dat met een vork wordt verschoven.

'Jezus, de ingewanden! Moet je zien hoe groot die lever of milt is!'

'Wil je zeggen dat leeuwen dat kunnen? Dingen bewaren door ze af te dekken? Hoe doen ze dat, gewoon met hun poten?'

'Net zoals mijn kat zijn behoefte in de tuin begraaft en het zand er overheen krabt. Dit zijn ook katten.'

De jonge bajesklant en zijn vriendin en de antiekhandelaar hebben zelf iets ontdekt: door de opwinding moedig geworden, zijn ze een eindje teruggelopen langs de weg waarover ze de prooi hebben benaderd. Ze hebben dat hoopje met de maaginhoud van de zebra teruggevonden, waarop iemand hen de vorige avond opmerkzaam had gemaakt.

Het is ook een heuveltje. Hij is naar hen toe gekomen van het hoopje ingewanden waarover ze zich zo staan te verwonderen. Er valt niets waar te nemen aan dood vlees, je port erin en het valt terug en ligt stil. Maar dit heuveltje dampende planteresten dat de zoete geur van herkauwd gras verspreid (het wordt verwarmd door de zon, zoals het eens werd verwarmd door het lichaam waarin het zich bevond), is niet dood voor het menselijk oog. Wat je hier ziet gebeuren is de transformatie van een inerte massa. Wat daar ligt, wordt letterlijk weggedragen door duidelijk verschillende soorten torren die zich in leven weten te houden met dingen die rotten, de restprodukten van het spijsverteringskanaal. De mestkevers met hun gepantserde kop graven zich regelrecht naar binnen aan de basis van het heuveltje en komen er achterwaarts weer uit, hun balletje mest meerollend tussen hun sterke, gevorkte poten. De tunnels die ze hebben gegraven storten in en spreiden het heuveltje dunner uit over zijn omgeving; kleinere insekten vliegen voortdurend af en aan en strijken neer op plaatsen waar ze met hun lichtere uitrusting hun werk kunnen doen. Als ze wegvliegen dragen ze de hun toegemeten lading mee in een zakje – of tussen hun voorpoten, dat kan hij niet goed zien. Vertegenwoordigers van een derde soort, qua grootte zo'n beetje tussen de andere in, maar luid zoemend, lijken wel helikopters: ze hangen boven de top van het heuveltje en scheppen er in duikvlucht telkens stukjes af. Ze platten het volmaakt gelijkmatig af, wie zal zeggen hoe of waarom ze zich om de vorm bekommeren? Zo is het leven. Als elke tor zijn functie heeft, hoe is het dan mogelijk te weigeren. En als weigeren mogelijk is, waar blijft dan de functie. Geen vraagteken. Dit zijn beweringen. Het heeft dan ook geen zin ze tegen iemand uit te spreken. Er is geen antwoord mogelijk.

Het heuveltje zal langzaam verdwijnen; misschien staat het voertuig op het punt het gezelschap terug te brengen naar het huis, is het weekend bijna voorbij. Hij loopt terug naar de rest van het gezelschap dat nog om het karkas heen staat met de zwarte man. Gedurende een paar seconden bevindt hij zich op gelijke afstand tussen de mensen bij het hoopje mest en het groepje verderop, hoort bij geen van beiden. Een gevoel dat niet lang stand kan houden; nu hoort hij weer bij de groep bij de prooi. Ze komen in beweging, vol aandacht voor iets: ze verdringen zich rond de plek waar Siza, de zwarte man, gehurkt zit, en doen dan een stap achteruit. Hij is zakelijk, geconcentreerd, neemt geen notitie van hen. Hij heeft hun alles gegeven wat hij kon; nu gedraagt hij zich als iemand die daar voor zichzelf is. Hij heeft een mes in zijn hand en de blanke die zich net bij het groepje heeft gevoegd, herkent het, het is het mes dat je overal tegenkomt, geen plaats waar je het niet ziet, op het televisiejournaal, op donkere straathoeken, onder het licht dat de bewakers nooit uitdoen. De zwarte man heeft het in de zebra gestoken, een incisie gemaakt, de witzwarte gladde pels van de bovenste achterpoot van het dier losgesneden, en nu snijdt hij een stuk uit de gespierde bil. Het is niet zo maar een homp, maar netjes uitgesneden, een biefstuk – een aandeel.

Ze lachen, vol verbazing over zijn handigheid, nieuwsgierig. Alsof ze het niet kunnen raden, alsof ze nooit in hun leven hun tanden in een biefstuk hebben gezet. 'Wat ga je daarmee doen, Siza?' O, ja, doe het in een zakje voor de hond, neem het mee naar huis als je je eigen buik hebt vol gevreten, het land hebt ingepikt (zoals de bajesklant zou zeggen).

De zwarte man snijdt het vlees netjes af. Behalve het mes heeft hij ook een stuk krantepapier meegenomen. 'Voor mij. Om thuis te eten. Voor mijn huis.'

'Is dat lekker vlees?'

'Ja, het is lekker.'

Een van de mannen zegt berispend, van man tot man: 'Maar waarom neem je de hele bout – de hele poot, niet mee, Siza? Waarom maar zo'n klein stukje?'

De zwarte man wikkelt het stuk vlees in de krant, hij weet dat hij geen bloed op de blanken mag laten druipen.

Hij doet het zorgvuldig, neemt er de tijd voor, en kijkt naar hen op. 'De leeuwen, zij weten dat ik een stuk voor mij moet nemen, omdat ik heb ontdekt waar hun vlees is. Zij weten dat. Ze vinden het goed. Maar als ik te veel neem, zij weten het ook. Dan nemen zij een van mijn kinderen.'

ONDERDUIKADRESSEN

• • •

Hij is een van die mannen met donker haar die een roestbruine baard krijgen. Hij had zijn haar in dezelfde kleur kunnen verven – min of meer – maar een baard is het eerste waarachter ze je zullen zoeken. Hij heeft al vaker zo geleefd; het enige verschil is dat hij deze keer legaal in het land is teruggekomen, thuisgekomen – zoveel waren ze dus waard, de beloften dat ballingen zonder vrees konden terugkeren, de andere tijden die hier zouden zijn aangebroken nu verbodsbepalingen op zijn soort politiek zogenaamd tot het verleden horen, nu hij – zogenaamd – vrij was. Hij weet hoe hun hersens werken: ze hebben niet veel verbeeldingskracht, vertrouwen op een compositietekening van hoe politiek subversieve elementen eruitzien en zich gedragen als ze ondergedoken zijn. Ondergedoken: net als de vorige keren voelt hij ook nu weer hoe onjuist die term is, veel te abstract. Om je te verbergen moet je je juist openlijk vertonen: als je wegkruipt in een hol kunnen ze je te snel en gemakkelijk opsporen. Het veiligst ben je in een menigte. Een bepaald soort menigte: hij gaat naar voetbalwedstrijden, met bier in een rugzakje en een pet met een doorzichtige plastic klep boven zijn zonnebril, maar niet naar popconcerten, waar de politie linkse jongeren, voor wie dit democratisch amusement is, in de gaten houdt. Hij gaat naar films, maar niet naar concerten, hoewel hij verlangt naar het gezelschap van strijk- en blaasinstrumenten; maar daar zou hij zeker een van zijn intellectuele vriendjes van lang geleden tegenkomen die hem zou aanstaren terwijl hij zijn geheugen afpijnigde om erachter te komen waarvan hij hem kende. Kleine bijeenkomsten waar je iedereen kunt vertrouwen zijn valstrikken: glimmend van trots op zijn heimelijke ontmoeting met een echte revolutionair, zal iemand van de aanwezigen de verleiding niet kunnen weerstaan om er, strikt vertrouwelijk, tegen een kennis over op te scheppen, en die kennis zal de gouden glans die het gevaar verleent weer aan anderen doorgeven.

De goede vrienden bij wie hij logeert, bieden hem soms ook het gebruik van de auto aan, maar in je eentje autorijden is eveneens een uitstekend middel om te worden opgespoord en gepakt. Hij loopt of rijdt in bussen te midden van gewone arbeiders en studenten. Hij heeft te veel van de midden-veertiger, een beetje te mollig rond zijn kin en zijn middenrif om voor een student te kunnen doorgaan, maar met het befje van dik zwart haar in de hals van zijn sweatshirt en de sportschoenen met zolen met een luchtkussensysteem die hij als onderdeel van zijn uniform draagt, zou hij zo maar iemand kunnen zijn tussen de andere passagiers: de blanke werklui, spoorweg- en postbeambten, zelfs politieagenten. Terwijl hij een krant leest met het dagelijkse verslag over de voortgang van een groepsproces waarin hij een ontbrekende verdachte is, en zich zorgen maakt over zijn strijdmakkers, probeert hij zichzelf niet op de borst te slaan over het feit dat hij aan arrestatie heeft weten te ontkomen, een vorm van zelfvoldaanheid die gevaarlijk is voor iemand in zijn positie, hier in de bus zittend tussen mensen die hem, zoals hij heel goed weet, met plezier aan de politie zouden overleveren; maar hij kan een lichte opwinding, een soort inwendige giechel, niet onderdrukken. Misschien is dìt wel vrijheid? Iets heimelijks, innerlijks? Maar filosoferen is ook gevaarlijk in zijn situatie, het ondermijnt het concept van de vrijheid waarvoor hij opnieuw ontdekking en de gevangenis heeft geriskeerd.

Toen hij op een middag, in de stad, in afwachting van het vertrek van de bus afwezig uit het raampje zat te kijken, voelde hij ineens de aanwezigheid van iemand die naast hem kwam zitten. Voelde die op de manier van een dier: hij rook iets nieuws in de vertrouwde warme walm van zweet en deodorant, vruchteschillen en voeten in de bus. Parfum. Echt parfum, dat waarschijnlijk een maandsalaris van elk van de andere passagiers zou kosten. En een geluid, een geritsel van zij toen een been over de knie van een ander been werd geslagen. Hij ging rechtop zitten, terwijl hij zich van het raam afkeerde, keek om niet onbeleefd te lijken een tijdje recht voor zich uit en draaide zich toen langzaam naar haar toe, alsof hij alleen maar ongeduldig ging verzitten omdat het zo lang duurde eer de bus vertrok.

Een vrouw, uiteraard – dat had hij geroken. Een grijze zijden pantalon of zo'n soort modieuze broekrok, waar een hoge wreef onderuit stak in een pastelkleurige sandaal. Onder de halslijn van een wijde blouse, glooiend onder glanzende zijde, rezen en daalden haar borsten. Buiten adem. Of boos. Hij schoof een eindje opzij om haar meer ruimte te geven. Ze bedankte hem met een knikje, zonder naar hem te kijken; ze zag hem niet, ze hield een soort dialoog met zichzelf, of waarschijnlijker een monoloog; ergernis, woede trilden op haar lippen.

Schoolmeisjes kwamen de bus binnen stommelen met hun geurtjes van vrouwelijke tieners en lieten kauwgom klappen die ze tussen hun lippen opbliezen als tekstballonnen in een stripverhaal. Een oude vrouw opende een zakje friet waar de azijn afdroop. De bus liep vol maar de chauffeur was er niet.

Die hier verdwaalde persoon, die vrouw, die verwende bijna-schoonheid (zoals hij zag toen ze zich naar hem toe draaide, terwijl ze haar lange haar, met tijgerstrepen en boven het voorhoofd opgebold in een papagaaiekuif, naar achteren schudde en glimlachte met volmaakt regelmatige tanden) had nu de plaats waar ze zich bevond aanvaard. Ze gebaarde naar de stoel van de chauffeur. 'Waar blijft hij, denkt u?'

Gaan pissen. 'Waarschijnlijk zit hij koffie te drinken.' Ze wisselden een beleefde verdraagzame glimlach.

'Ik dacht dat ze volgens een vaste dienstregeling reden. Enfin. Weet u ook of deze bus over de Sylvia Pass rijdt?

'Het bovenste stukje, ja.'

Ze trok een gezicht en haar dikke wimpers knipperden met ontstelde berusting. Heimelijke, glanzende ogen die wisten hoe ze moesten behagen; bij de buitenste hoekjes plooide de huid zich in een aantrekkelijke, op ervaring duidende waaier van vage lijntjes.

'Waar moet u zijn?'

'Dat is het probleem. Onder aan de Pass. Ik had waarschijnlijk beter een andere bus kunnen nemen...ik snap niet waarom er hier geen taxi's rondrijden, zoals in andere geciviliseerde steden. Ik heb een half uur rondgelopen om er een te zoeken...'

'Er horen bij elk hotel taxi's te staan voor toeristen.'

'Nee, nee, ik woon hier, maar het is gewoon mijn dag niet... mijn auto gaf het op in een parkeergarage. Onder de grond. Ik kon nergens een telefooncel vinden waar de hoorn niet was afgerukt... die stad hier! Ik heb een winkelier moeten vragen of ik een garage mocht bellen... enfin, ik kon niet langer wachten en heb de sleuteltjes bij de bewaker achtergelaten.'

Ze voelde zich beter nu ze het aan iemand, onverschillig wie, had verteld. Hij was onverschillig wie.

Toen de chauffeur kwam en ze voor de rit moesten betalen, had ze uiteraard noch een abonnement noch kleingeld om een kaartje te kopen. Terwijl ze in haar tas zat te grabbelen waarbij haar gouden schakelarmbanden over haar pols gleden, gaf hij de conducteur twee kaartjes.

'O, wat vriendelijk...' Ze geneerde zich ineens over haar bevoorrechte leventje, haar onvermogen zich te redden in een situatie die voor alle mensen om haar heen in de bus dagelijkse routine was. In het feit dat ze haar negeerden, voelde ze een verwijt dat ze nooit eerder met die bus had gereisd, misschien wel met geen enkele bus, althans niet sinds ze een schoolmeisje was. Hij was niet meer *onverschillig wie,* maar op de een of andere manier een bondgenoot, hoewel hij het zich naar zijn uiterlijk te oordelen waarschijnlijk slecht kon veroorloven geld voor een buskaartje te verspillen aan een vreemde. Maar iets in zijn zelfverzekerde houding, de geamuseerde blik in zijn ogen, deed vermoeden dat hij niet zo maar een van de andere passagiers was. Niet helemaal zeker hierover en gewend om minzaam te zijn – ze was het soort vrouw dat haar bedienden uitstekend zou behandelen maar haar kinderen naar een gesegregeerde school zou sturen – babbelde ze tegen hem om te bewijzen dat ze hem als een gelijke beschouwde: 'Maakt u deze reis elke dag? Is het niet altijd weer heerlijk om thuis te komen uit die afschuwelijke stad?'

'Niet iedere dag, nee. Maar wat hebt u tegen de stad?' Zeker te vol met zwarten, hè, mevrouwtje, zwarten die fruit en goedkope sieraden en gebreide mutsen verkopen, de straten vuil maken, te veel werklozen voor wie je armbanden en die dure tas van Italiaanse suède in jouw ogen dingen zijn die ze van je willen stelen.

Ze nam haar toevlucht tot veilige algemeenheden. 'O, de stad is niets voor mij. Geen enkele stad.'

'Maar u woont er wel?'

'O, vanuit mijn huis merkt je daar nauwelijks iets van. Gelukkig. In een oude buitenwijk... de bomen – dat is een van de voordelen van Johannesburg, vindt u niet, je kunt je verstoppen tussen de bomen, met alleen het lawaai van de autoweg op de achtergrond, een flink eind uit het gezicht.'

'O ja?' Hij gaf zich plotseling gewonnen met een brede, open glimlach, als de geeuw van een roofdier.

Ze trok zich instinctief terug. 'Woont u niet hier?'

'Jawel, ik woon hier ook.'

Ze onderdrukte haar vage nieuwsgierigheid, omdat het onverstandig zou zijn hem aan te moedigen. 'Kunt u me zeggen waar ik moet uitstappen. Zo dicht mogelijk bij de Sylvia Pass?'

Ze wist niet of ze zich zijn lichte aarzeling verbeeldde.

'Ik moet er daar zelf uit.'

Hij stond achter haar toen ze uit de bus stapte. Ze liepen over de steile bochtige straat de helling af. Ze liepen niet ver uit elkaar, maar ze straalden iets uit waardoor duidelijk werd dat ze niet bij elkaar hoorden, alleen maar in dezelfde richting liepen.

'Goddank gaan we naar beneden, niet naar boven. Mijn hakken zijn hier niet bepaald geschikt voor.'

'Trek ze uit, dat is veiliger. Het wegdek is heel effen.'

'Maar het is zo heet, dan brand ik mijn voeten.'

Ze klepperde onhandig naast hem voort, lachend om haar eigen manier van lopen. Is dat niet typerend? Ik jog hier elke ochtend, al jaren, en ik ben nog nooit de Pass af gekomen.'

'U bedoelt de Pass op – als u onderaan woont. Nogal zwaar joggen.' Meer een opmerking dan een verbetering. En toen: 'Typerend waarvoor?'

Ging hem niets aan! Wat had hij voor recht om vragen te stellen over een losse opmerking, alsof hij wilde ontdekken of die een werkelijke betekenis in haar leven had.

Toch probeerde ze te antwoorden: 'O... de gewoonte, neem ik aan... dat je doet wat je gewend bent te doen, zonder op te merken... waar je eigenlijk bent.'

En nu vroeg ze zich ongetwijfeld af of het mogelijk was dat deze man uit de bus werkelijk in deze villawijk met achter bomen verscholen huizen woonde, net als zij, of dat hij was uitgestapt om haar te volgen en ze bang voor hem moest zijn, hoewel hij blank was, in deze stad waar zo veel gevaren dreigden. Het was waar dat hij dit speciale stukje van het netwerk van straten waarlangs hij de stad en de villawijken doorkruiste had uitgekozen om met haar mee te kunnen lopen – een impuls als elke andere impuls waarmee hij zijn dagen moest vullen, nu hij was afgesneden van samenhangende activiteit. Onverwachte dingen doen was zijn middel om te overleven. Ondergedoken zijn betekent proberen een leven te leiden zonder gevolgen. Daar had je het weer, dat corrupte rillinkje van genot over zijn vrijheid. Beschamend maar plezierig.

'Ik moet hierin.' Ze bukte zich om het afgezakte riempje van haar sandaal over haar hiel te schuiven en keek vriendelijk naar hem op om het feit dat ze hem wegstuurde te verzachten.

'Nou, wel thuis.' Opnieuw die gretige strijdlustige glimlach die zijn nederige uiterlijk weersprak.

Toen hij haar zijn rug toedraaide, riep ze plotseling, alsof ze zich een instructie voor een werkman herinnerde: 'Moet u nog ver – het was zo'n eind met die hitte – wilt u niet even binnenkomen en iets fris drinken?'

Deze keer vergiste ze zich niet: hij aarzelde, nog met zijn rug naar haar toe. 'Ik sterf in elk geval van de dorst en u vast ook!'

Daarmee haalde ze hem over zich om te draaien en hij liep met een nonchalant gemompeld bedankje met haar mee. Nu liepen ze samen. Bij een van de door pilaren geflankeerde poorten in witte vestingmuren bekroond met een rij zwarte ijzeren punten, drukte ze op het knopje van een intercom-paneel en sprak in de microfoon. Als een decorvak op het toneel schoven de brede houten deuren elektronisch opzij. Bomen, haar bomen, leidden naar de brede vleugels van het huis en hingen over het dak. Kleine hondjes dansten om haar heen. Sproeiers vormden regenbogen boven gazons. Ze riep met een vreugdevolle sopraan, gewend om trouwe bedienden te ontbieden, die ijs en vruchtesap brachten naar een overschaduwde veranda. Achter hem, in de diepte van een enorme kamer van het soort waarin feesten worden gehouden, vermengden zich de kleuren van Perzische tapijten, schilderijen en met bloemen gevulde vazen.

'U hebt een prachtig huis.' Hij zei beleefd wat er van hem werd verwacht terwijl hij vruchtesap dronk in ruil voor een buskaartje.

Ze antwoordde zoals van háár werd verwacht: 'Maar te groot. Mijn zoons zitten op kostschool. Het is te veel... voor twee mensen.'

'Maar de tuin, de rust.'

Ze voelde zich beschaamd bij de gedachte hoe hij haar moest benijden. 'O ja. Maar de rest van het huis wordt het grootste deel van de tijd niet gebruikt (een gebaar naar de kamer achter hen). Ik heb mijn eigen afdelinkje aan de andere kant van het huis. Mijn man is zo vaak weg voor zaken – naar Japan op het ogenblik. Daarom kon ik zelfs niemand vragen me te komen halen bij die ellendige parkeergarage... zijn secretaresse is zo'n uilskuiken, ze heeft zijn chauffeur vrij gegeven. Ik zeg altijd tegen hem dat het zijn schuld is dat ze helemaal geen initiatief meer toont, ze is er zo aan gewend zich te laten commanderen. Ik kan zulke volgzame mensen niet uitstaan, u wel – ik bedoel, ik zou ze door elkaar willen schudden, zodat ze voor zichzelf opkomen.'

'Ik geloof niet dat ik zulke mensen ken.'

'O, dat bewijst dat u in de juiste kringen verkeert!'

Ze lachten allebei. 'Maar wat doet u eigenlijk? Ik bedoel uw werk, uw beroep.' Zorgvuldig aangevend dat 'werk' evenveel waarde kon hebben als een beroep.

Niet wetend dat hij zo snel kon denken, begon hij er een te verzinnen – een beroep gecombineerd met 'werk' – dat bij zijn voorkomen zou passen. Hij vertelde haar een sprookje, een verhaaltje voor het slapen gaan, het vloeide zijn mond uit met allerlei wendingen en bijzonderheden, alsof het waar zou kunnen zijn, alsof hij een alternatief leven voor zichzelf construeerde. 'Ik zit in de bouw. Bouwkundig ingenieur – daar kwam ik zostraks vandaan, ik moest op een paar bouwterreinen zijn. Er gaan dingen mis... als je over spanningen praat in een gebouw van twintig verdiepingen.'

'O, als het eens instortte! Als ik naar boven kijk, vraag ik me zo vaak af hoe zo'n kolos blijft staan, ik heb er trouwens weinig vertrouwen in. Ik loop nooit onder die afdakjes boven het trottoir door die jullie voor de voetgangers neerzetten als er ergens gebouwd wordt, ik ga altijd op de straat lopen, ik laat me nog liever overrijden.'

'De voorschriften zijn hier tamelijk streng; de veiligheidsmarges. U hoeft niet bang te zijn. Ik heb het wel eens anders gezien in sommige landen waar ik heb gewerkt. En je moet je altijd afvragen hoe een gebouw zich bij een aardbeving zal houden, hoe moet je bouwen boven een breukvlak van de aarde, Mexico-Stad, San Francisco...'

'Dus u reist ook veel. Alleen niet voor zaken, maar om te bouwen.'

'Soms ook om te slopen. De weg te effenen voor herbouw. Het bestaande af te breken.' Nee, hij moet de boosaardige verleiding weerstaan om voor zijn eigen vermaak symbolen van zijn werkelijke leven door zijn sprookje te weven. Zoals in alle sprookjes zaten er genoeg onwaarschijnlijkheden in die zijn toehoorster zou moeten laten passeren of slikken. Ze zou het toch op zijn minst nogal onwaarschijnlijk moeten vinden dat een bouwkundig ingenieur met de bus reisde, ook al was hij erop gekleed om bouwterreinen te inspecteren. 'Gaat u vaak met uw man mee op reis?' Hij moest weten waar ze geweest was, voor hij verhalen opdiste over projecten in Sri Lanka, Thailand, Noord-Afrika. Nee, ze vond het heerlijk om naar Europa te gaan, maar warme landen, overvolle landen, smerige landen, nee.

Het stond hem dus vrij zijn ervaringen in opleidingskampen voor guerrillastrijders in Tanzania en Libië, zijn aanwezigheid in de kantoren van oppercommando's in ballingschap in steden die verdoofd onder de noordelijke sneeuw of tropische hitte lagen, te veranderen en als een exotische achtergrond voor zijn wolkenkrabbers te gebruiken. Anekdotes over gesprekken in de kroeg in dat soort plaatsen – hij veranderde alleen de onderwerpen waarover werd gesproken, niet de mensen – amuseerden haar. Hij voelde zich op zijn gemak in zijn verzonnen rol: wat wist een vrouw tenslotte van bouwkunde af? Ze verklaarde dat het tijd was voor een borrel; er werd opnieuw ijs gebracht, er werd een serveerwagentje naar buiten gereden met vakjes waar flessen in stonden, er kwam een bediende naar buiten met een schaal borrelhapjes, versierd met roosjes van radijs.

'Als ik alleen ben, mag ik niet drinken van mezelf.'

'Waarom niet?' Hij nam een glas whisky met ijs aan dat ze voor hem had ingeschonken.

Eerst leek het alsof ze de persoonlijke vraag niet had gehoord, terwijl ze bezig was bij het serveerwagentje. Ze ging met haar glas op een schommelbank zitten en liet de sandalen van haar voeten vallen. 'Uit angst.'

'Om alleen te zijn?'

'Nee, dat ik ermee door zal gaan. Ja, om alleen te zijn. Is dat niet de reden waarom mensen gaan drinken – ik bedoel echt drinken? Maar u bent vaak alleen, neem ik aan.'

'Waarom denkt u dat?'

Maar nu was hij degene die niet bang hoefde te zijn: ze wist niets van een werkelijkheid die achter zijn sprookjes school. 'Nou, de aard van uw werk – altijd onderweg, geen tijd om ergens wortel te schieten.'

'Geen bomen.' Hij haalde zijn schouders op, schuldbewust.

'Hebt u familie?'

Had hij familie? 'Her en der verspreid. Ik heb niet echt een gezin of zo.'

'Een vrouw? Kinderen?'

'Wel gehad – een vrouw. Ik heb een volwassen dochter – in Canada. Ze is arts, kinderarts, heel intelligent.'

Dat was een vergissing. 'O, waar? Ik heb een broer die naar Canada is geëmigreerd, hij is ook arts, ook kinderarts, in Toronto.'

'Vancouver. Helemaal aan de andere kant.'

'Misschien hebben ze elkaar wel eens ontmoet op een congres. Artsen houden voortdurend congressen. Hoe heet ze?' Ze strekte haar hand uit om zijn glas aan te nemen en opnieuw te vullen, gebarend dat hij rustig moest blijven zitten. 'Hemel, ik heb je niet eens je naam gevraagd. Ik heet, eh, ik heet Sylvie, Sylvie…'

'Sylvie is genoeg. Ik heet Harry.'

'Ja, misschien hebt je gelijk… dat is genoeg.' Voor iemand die je in een bus hebt ontmoet als je in geen, zeg maar, dertig jaar in een bus hebt gezeten, moest ze zichzelf toegeven en ze lachte een beetje.

'Ik zal mijn visitekaartje achterlaten als ik wegga, als je wilt.' (Zijn visitekaartje!) Ze lachten allebei.

'Het is niet erg waarschijnlijk dat ik de diensten van een bouwkundig ingenieur nodig zal hebben.'

'Misschien je man.' Hij genoot van zijn roekeloosheid, plaagde zichzelf.

Ze zette haar glas neer, sloeg haar armen over elkaar en begon te schommelen als een kind dat hoger en hoger wil. De bank piepte en ze fronste met een komische grimas naar opzij. De whisky maakte haar lippen voller, haar ogen glanzender. 'En wat moet ik zeggen als hij wil weten hoe ik je heb ontmoet, als ik het vragen mag.'

Weer terughoudend, bijna stijf, maakte hij een eind aan hun scherts. Toen hij zijn glas leeg had, stond hij op om weg te gaan. 'Ik heb je te lang opgehouden...'

'Nee... nee...' Ze stond op, haar handen slap langs haar zijden, zodat de armbanden er overheen zakten. 'Ik hoop dat je een beetje bent opgefrist... Ik in elk geval wel.' Ze drukte op de knop waardoor de poorten van haar vesting opengingen en deed hem uitgeleide. 'Misschien – ik weet niet of je het erg druk hebt – misschien heb je zin nog eens langs te komen. Voor de lunch. Of om te zwemmen. Ik zou je kunnen bellen.'

'Graag.'

'Als mijn man terug is.'

Ze keek hem recht aan. Als een ondergeschikte die eraan wordt herinnerd dat hij zich beleefd moet gedragen, zei hij nog een keer 'graag'.

'Waar kan ik je bereiken. Je telefoonnummer...'

Hij die zonder de straat over te steken langs een politiebureau kon lopen, voelde dat hij van zijn hoofd tot zijn voeten begon te tintelen. Betrapt. 'Tja, dat is een beetje moeilijk... boodschappen... ik ben er bijna nooit.'

Haar blik veranderde; nu was zij het die op haar nummer werd gezet. 'O. Nou, kom dan gewoon een keer langs. Het was in elk geval prettig met je te hebben kennis gemaakt. Laat ik je mijn nummer geven...'

Hij kon niet weigeren. Hij vond een ballpoint in zijn broekzak, maar geen papiertje. Hij draaide de palm van zijn linkerhand naar boven en schreef de zeven cijfers dwars over de adertjes die zichtbaar waren op de kwetsbare binnenkant van zijn pols.

Het nummer was een frivole travestie van het brandmerk dat overlevenden van een concentratiekamp aan hun vervolging overhouden. Die gedachte kwam bij hem op toen hij terug was in het huis dat hem op dat ogenblik een schuilplaats bood. Hij waste haar identificatie eraf, hij had er het nagelborsteltje van zijn gastheer voor nodig. De beweging wilde dat hij uit het land zou wegglippen, maar hij weerstond de druk die van verschillende kanten op hem werd uitgeoefend. Hij had te lang in ballingschap geleefd om naar dat bestaan terug te keren nu hij eenmaal thuis was. Thuis? Ja, al bestond dat uit op de vloer slapen in iemands keuken (het comfort van zijn schuiladressen was erg wisselend), naar voetbalwedstrijden en banale films gaan, over straat zwerven tussen mensen in de wetenschap dat hij bij hen hoorde, hoewel onherkend, onaanvaard – dat was thuis. Hij las alle kranten en vond nu en dan even afleiding in zorgvuldig geregelde heimelijke ontmoetingen met mensen van de beweging, maar die waren zowel voor hem als voor hen te riskant om vaak plaats te kunnen vinden. Hij dacht erover iets te gaan schrijven, hij was lang geleden, in een ander leven, zelfs aan een universiteit verbonden geweest, waar hij de wetten had gedoceerd die hij verachtte. Maar het was onverstandig papier bij je te hebben, alles wat je opschreef was een bewijs van je bestaan en zijn hele strategie berustte erop om, althans voorlopig, in geen enkele hoedanigheid van vroeger of nu te bestaan. Voor het eerst in zijn leven verveelde hij zich. Hij at pinda's, koekjes, *biltong.* Hij kocht ze in van die luchtdicht gesloten pakjes die hij openscheurde om de inhoud uit zijn handpalm in zijn mond te gooien, nog voor hij de winkel uit was, zoals hij had gedaan toen hij een overvoede schooljongen was. Hoewel hij de hele dag over straat liep, was hij dikker geworden, was er een heuveltje ontstaan onder zijn middenrif. Hij verzon van alles om zijn dagen en nachten mee te vullen, maar hij voerde die plannen niet uit: er zouden mensen bij betrokken zijn die te bang zouden zijn om zich met hem in te laten, of het zou mensen die bereid waren het risico te nemen in gevaar brengen. Vreemd genoeg herinnerde hij zich meer dan een week later, toen hij zijn horloge omgespte en de binnenkant van zijn pols zag, ineens het telefoonnummer. Sylvie... hoe heette ze verder? Sylvie. Meer niet. Sylvie. Sylvia Pass. Misschien had ze die naam ook ter plekke verzonnen, uit voorzichtigheid, zelfbescherming, net als zijn 'Harry'. *Mag ik Sylvie even spreken? Wie? Ik ben bang dat u een verkeerd nummer te pakken hebt* – het zou de stem van haar man zijn. En dan had ze nooit zo iets stoms gedaan als een man oppikken in een bus.

Maar als hij ergens veilig zou zijn, in het licht van zijn situatie, zou dat wel bij deze 'Sylvie' zijn. Hij ging naar de telefoon in het lege huis, zijn huidige onzekere schuilplaats, waaruit alle andere bewoners waren vertrokken naar hun werk. Ze nam de telefoon zelf aan. Ze klonk niet verbaasd; hij vroeg of hij gebruik mocht maken van haar aanbod om te komen zwemmen. 'Natuurlijk. Na je werk?' Natuurlijk... nadat hij het stof en de hitte van bouwplaatsen had verlaten.

Ze was gekleed om te gaan zwemmen, het bandje van een tweedelig zwempak was zichtbaar boven de hals van een los om haar heen hangende badjas en de rand van het bikinibroekje tekende zich af onder de stof, ergens onder de plek waar haar navel moest zijn. Maar ze zwom niet, ze zat glimlachend naar hem te kijken, met de lange, tot op de dij lopende split van de badjas dichtgetrokken rond haar benen, toen hij uit de met veel sits in plattelandsstijl ingerichte kleedkamer kwam (mijn god, wat een luxe in vergelijking met zijn huidige slaapplaats) en naar het zwembad toe liep; hij hield zijn buik in en was zich ervan bewust dat hij op een pronkende doffer leek, met dat beginnende buikje onder zijn middenrif. Ze slaakte bemoedigende kreetjes toen hij dook, hij voelde dat ze de baantjes die hij trok telde, rugslag, vlinderslag, crawl. Het irriteerde hem en hij dook vlak onder haar blote voeten uit het water op met de gulzige glimlach van een man die op de vlucht is en pakt wat hij kan. Hij moest zich die glimlach niet te vaak laten ontsnappen. Ze wriemelde met haar tenen toen het water dat van hem afspatte, van de druipende vacht van zijn borsthaar, de geultjes langs zijn gespierde benen, op haar voeten druppelde. Een groot badlaken diende hem als toga. Omhuld door zijn stoel was hij net zo zedig bedekt als zij, ongeacht of ze hem had getaxeerd als een vleesklomp in een slagerswinkel, of niet.

De whisky en ijsblokjes werden buiten gebracht. De keuken was deze keer van te voren gewaarschuwd: er waren olijven en salami, linnen servetjes. 'Maak ik nog kennis met je man, voor ik wegga?' De man zou toch zeker elk moment kunnen komen aanrijden. 'Harry' kon maar beter die handdoek afdoen en zich aankleden, wilde hij de indruk wekken dat hij werkelijk een vreemde was. Hij wilde vragen hoe ze van plan was zijn aanwezigheid te verklaren, aangezien ze dat daadwerkelijk van plan scheen te zijn. De vraag stond op zijn gezicht te lezen, hoewel hij hem niet uitsprak. Hij was ineens ongeduldig: het was toch doodeenvoudig? Ze kon toch gewoon zeggen dat ze hem in een bus had ontmoet, wat hadden ze te verbergen – of waren de omstandigheden van hun informele kennismaking inderdaad te proletarisch voor meneer, beneden de waardigheid van zijn vrouw? Als ze elkaar nu nog tijdens de paardenrennen hadden leren kennen, in het paviljoen van de clubleden.

'Die is weg.' Het klonk bruusk. 'Hij moest na Japan door naar Hongkong. Er schijnen daar mogelijkheden te zijn... Ik weet niet waar het allemaal over gaat. En daarna naar Australië.'

'Dat is een hele reis.'

'Als hij maar terug is als de jongens thuiskomen voor de vakantie, eind volgende maand. Ze verwachten dat hij van alles met ze gaat doen. Vistochtjes. Dingen waar ik niet goed in ben. Jij hebt geluk... je hebt een dochter. Ik ga wel mee, maar alleen als ballast.'

'O, dat is jammer.'

'Een andere keer. Maar je gaat toch niet weg... blijf eten. Iets lichts, hier buiten, het is zo'n heerlijke avond.'

'Maar heb je geen andere plannen die ik in de war zou schoppen, verwacht je geen bezoek?' – Harry kan niet aan dinertjes aanzitten, dank u.

'Helemaal niets. Ik was van plan vroeg naar bed te gaan, ik ben te veel aan de rol geweest. Je weet wel, als je alleen bent, denken je vrienden dat je geen avond zonder gezelschap kunt. Ik word er gek van.'

'Dan moest ik maar gaan en je niet langer storen.'

'Nee. Alleen een salade of wat ze hebben – wat de pot schaft.'

Ze wordt er gek van. Een middel tegen de verveling: haar verveling. Het was de paradox waar hij van genoot, niet zozeer haar gezelschap. Hij aanvaardde de rol waarvoor hij zo weinig geschikt was. Hij ontkurkte de flessen witte wijn – een droge bij de vismousse, een Sauterne bij de aardbeien – in plaats van de heer des huizes.

In de ontspannen sfeer die ontstond onder het eten en drinken, werd duidelijk hoe zeer hun ontmoeting haar intrigeerde. 'Hoe lang is het geleden sinds je met iemand hebt kennis gemaakt zonder te worden voorgesteld... kun jij je dat herinneren? Ik in ieder geval niet. Het is een keten, het is alsof je het hele jaar door met zijn allen *Auld Lang Syne* staat te zingen, jaar in jaar uit, het gaat altijd door, een hand aan de ene kant wordt vastgepakt door een hand aan de andere kant, het wordt nooit doorbroken, het zijn altijd vrienden van vrienden, kennissen van kennissen, waar ze ook vandaan komen, Japan of Taiwan of Londen, of uit je eigen straat of god weet waar vandaan.'

'Goede vrienden. Die heb je nodig.' Hij was voorzichtig.

'Maar heb jij dat gevoel nooit? Het geldt vooral voor mensen als jullie – jij en mijn man – ik bedoel, de kring van mensen die bepaalde zakenbelangen hebben, of een bepaald beroep. Rond en rond... Maar waarschijnlijk is het in ons geval vanzelfsprekend, omdat we dingen gemeen hebben. Laatst, je weet wel, toen mijn auto het had begeven, toen dacht ik: ik loop nooit zo over straat: wat gaan al die mensen mij aan?'

Nu kwam het natuurlijk, het schuldgevoel van haar klasse, de zelfbeschuldiging, het gejammer over het feit dat ze zo nutteloos was, geen deel had aan het echte leven. Had ze daar in de bus al niet iets van laten doorschemeren? Maar hij had het mis en voelde zich op zijn beurt geïntrigeerd door de omverwerping van zijn eigen conventionele vooroordelen.

'Ze zijn onwerkelijk voor me. Niet alleen omdat de meesten van hen zwart zijn. Dat spreekt vanzelf, dat we niets met elkaar gemeen hebben. Ik wens ze alle goeds, ze hebben recht op een beter leven... betere omstandigheden... ik neem aan dat het is toe te juichen dat het leven voor ze aan het veranderen is... maar ik ben er niet bij betrokken, hoe zou ik kunnen, we geven geld voor hun scholen en woonprojecten en zo – het bedrijf van mijn man doet dat, net als iedereen... jij ook waarschijnlijk... ik weet niet wat jouw mening hierover is...'

'Ik interesseer me niet zo voor politiek.'

'Dat dacht ik al. Maar die anderen – die blanken – met hèn heb ik ook niets gemeen... Ik beteken niets in hun leven, evenmin als zij in het mijne. En de enkelen die wel iets zouden kunnen betekenen – die verborgen zitten tussen de mensenmassa's daar op straat (waarom is deze stad toch zo lelijk en smerig), die zou ik hoogstwaarschijnlijk niet herkennen.' Ze was eigenlijk heel aantrekkelijk, met die kruimel naast haar mond waarvan ze zich niet bewust was. 'Zelfs als ze naast me zaten in een bus.'

Ze lachten en ze hief haar glas om te klinken.

Een zwarte bediende in een wit uniform met katoenen handschoenen draaide vermoeid om hen heen; haar gast was zich bewust van deze getuige van alles wat in de huizen van blanken gebeurde, maar voelde deze keer dat zijn anonimiteit werd gewaarborgd door het feit dat hij zelf blank was. Ze zei tegen de bediende dat hij de boel kon laten staan en de tafel de volgende ochtend opruimen. Het diepe gekwaak van kikkers en het fluitende getjirp van krekels vulden aangename stiltes op. 'Ik moet gaan,' zei hij zonder zich te bewegen.

'Zullen we eerst nog een duik nemen? Op de valreep?' Hoewel hij zich had aangekleed, had zij in haar badjas gegeten.

Hij had niet veel zin om weer het water in te gaan, maar het was een goede manier om de avond af te ronden en hij had het gevoel dat het nodig zou zijn dat eens en voor altijd te doen, wat hem zelf betrof. Er waren te weinig veilige onderwerpen waar ze over konden praten – ze had meer gelijk dan ze wist – ze hadden te weinig gemeen, de mogelijkheden van hun ontmoeting waren uitgeput. Hij ging weer naar de kleedkamer.

Het water sloot zich als een koele hand om zijn geslacht; zij was al aan het zwemmen. Ze vouwde zich dubbel en dook als een dolfijn, en het licht van het terras stroomde over haar stevige billen en dijen. Ze bleef op een afstand in het water, ze cirkelden om elkaar heen. Ze trok zich met lange armen omhoog en ging op de rand zitten, en weer voelde hij dat ze hem gadesloeg. Hij dook vlak onder de plek waar ze zat op en sloot plotseling, een ogenblik maar, zijn hand om haar pols voor hij uit het water klom. Hij schudde zich als een hond en wreef hard met de grote handdoek over zijn armen en borst. 'Koud, koud.'

Ze gaf een pantomime van een rilling en zei het hem na: 'Koud, koud.'

Ze stonden eendrachtig op om zich te gaan aankleden.

Het gesuis van water in zijn oren vermengde zich rinkelend met het gekwaak van de kikkers. Hij sloeg zijn armen om haar heen en overweldigd door begeerte, alsof al het bloed in zijn verkilde lichaam zich had teruggetrokken in die ene plek, drukte hij zijn geslacht stijf tegen haar aan. Hij voelde een enorme opwinding en een felle verpletterende lust: alle abstinentie van de man die wilde leven alsof hij niet bestond, stortte in als een van zijn denkbeeldige wolkenkrabbers waar zij altijd met een boogje omheen liep, omdat ze bang was ze op haar hoofd te krijgen. Er was geen kus. Ze maakte zich handig los en rende naar binnen. Hij kleedde zich aan terwijl zijn opgewonden lichaam tegen hem tekeerging tussen de sitsen gordijnen in de kleedkamer. Toen hij weer buiten kwam, was het water in het zwembad zwart en weerkaatste alleen het licht van de sterren, als vlammetjes van dovende lucifers. Ze had de verlichting van het terras uitgedraaid en stond in het donker.

'Welterusten. En mijn excuses.'

'Ik hoop dat je auto niet gestolen is. We hadden hem op de oprit moeten zetten.'

'Ik heb geen auto.'

Hij was te moe en ontmoedigd om te liegen. Toch moest hij een verhaal improviseren om zich te beschermen. 'Een paar vrienden die toch deze kant uit moesten, hebben me hier afgezet. Ik heb gezegd dat ik terug wel een taxi zou nemen.'

Het donker en het lawaai van de kwakende kikkers verhinderden hem te peilen hoe ze hierop reageerde.

'Blijf dan slapen.' Ze draaide zich om en hij volgde haar naar het huis, dat hij nog niet eerder had betreden.

Ze begonnen opnieuw, nu op de juiste manier, met kussen en liefkozingen. Een vrouw van zijn eigen leeftijd, bedreven in het vrijen, die zowel reageerde als initiatief nam, die wist wat ze allebei wilden. In dit opzicht was er zelfs een soort onverwacht gebrek aan plichtplegingen tussen hen. Toen ze zachtjes in zijn tepels kneep voordat ze voor de tweede keer gemeenschap hadden, zei ze: 'Je bent toch niet seropositief, hè?'

Hij legde zijn hand over het genot van de aanraking van haar vingers. 'Daar begin je wel een beetje laat over... Voor zover ik weet niet. En ik heb geen reden om aan te nemen dat het zo zou kunnen zijn.'

'Maar je hebt geen vrouw.'

'Dat klopt, maar ik ben tamelijk monogaam van aard, ondanks mijn zwervende bestaan.'

'Hoe zul je het uitleggen dat je vannacht niet thuis bent gekomen?'

Hij lachte. 'Aan wie?'

'De eerste keer dat je hier was... toen zei je dat het "een beetje moeilijk" was om je te bellen.'

'Er is niemand. Er is geen vrouw aan wie ik verantwoording schuldig ben, op het ogenblik.'

'Begrijp me goed, het gaat me niets aan. Maar het heeft geen zin om het leven moeilijk te maken voor jou of voor mij.'

Haar man. 'Natuurlijk, dat begrijp ik heel goed, maak je geen zorgen. Je bent een prachtige – absurde – vrouw.' En hij begon haar te kussen alsof hij een kannibaal was die vlees proefde.

Ze was ook een praktische vrouw. 's Morgens in alle vroegte draaide hij zich steunend om en zag dat er in de schaduwen van de vroege ochtend een onbekende vrouw over hem heen gebogen stond – o, ja, 'Sylvie'. Hier was hij dus deze keer: hij werd tenslotte vaak in vreemde kamers wakker. Hij had geleerd zich snel te oriënteren.

'Kom mee. Er is een ander bed.' Hij liep achter haar aan een gang door. Ze had een groot bed opgemaakt in een logeerkamer. Hij strompelde ernaar toe en viel weer in slaap.

Toen ze 's morgens op het terras zaten te ontbijten, begroette ze de zwarte man die hen bediende vrolijk. 'Meneer Harry is een vriend van de baas, ik heb hem gevraagd vannacht te blijven logeren.'

Zij kon dus ook voorzichtig zijn, wist hoe ze voor haar eigen veiligheid moest zorgen.

Harry ging die week elke avond terug. Harry bestond nu echt, ontstaan uit zijn eigen niet-bestaan. Harry de bouwkundig ingenieur, een geslaagde, goed verdienende, in vakkringen gewaardeerde man van de wereld, die een voorbijgaande affaire had met een niet meer jonge, maar mooie vrouw, een vrouw die haar lichaam parfumeerde en vertroetelde van de krullende lokjes van de papegaaiekuif die hij optilde om haar voorhoofd te kunnen zien tot de gelakte nagels van haar gepedicuurde tenen. Net als hij kende ze ogenblikken van vertwijfeling, veroorzaakt door het conflict met de zich opdringende werkelijkheid – haar werkelijkheid – dat op onvoorspelbare momenten de kop opstak en daarmee deze episode, die geheel buiten haar leven stond, een staat die geen gevolgen zou hebben, bedierf. Zulke ogenblikken uitten zich in onsamenhangende opmerkingen of, vaker, in een gebaar, wanneer de innerlijke tweestrijd zich manifesteerde door een vreemde lichamelijke reactie. Op een nacht hurkte ze naakt op het bed met haar armen om haar knieën geslagen, terwijl ze haar omhoog krullende voeten stijf in haar handen klemde. Het verontrustte hem maar hij verdrong de reden, die als een tentakel omhoog rees uit de diepste grond van zijn leven: na een verhoor tijdens zijn detentie had hij in die houding op de vloer van zijn cel gezeten, nog verstijfd van het verzet tegen de pijn. Een schroeiende wrok: zíj – zij ondervroeg alleen zichzelf. Toch had hij uiteraard begrip voor haar – had hij niet net de liefde met haar bedreven en zij met hem, genereus als ze was – hij mocht de pijn van mensen als zij niet als louter triviaal afdoen, omdat die niets groters dan hen zelf gold.

'Een lang telefoongesprek uit Australië... en het enige waar ik aan kon denken terwijl we aan het praten waren, was dat hij, als we hier 's nachts alleen zijn, nooit de badkamerdeur dichtdoet als hij gaat plassen. Ik hoor hem klateren als een paard op straat. Hij doet nooit de deur dicht. En soms laat hij ook nog een harde wind. Hij staat er nooit bij stil dat ik het kan horen, dat ik hier lig. En dat was het enige waaraan ik kon denken terwijl hij tegen me praatte, dat was het enige.'

Hij glimlachte bijna liefdevol naar haar. 'Tja, we zijn nogal ongemanierd, wij mannen... maar ja, hoor eens even, jij bent ook niet bepaald preuts – je bent een heel lichamelijke vrouw.'

'Als het om vrijen gaat, ja... jij denkt dat vanwege de dingen die ik met jou doe. Maar dat is iets anders, dat is vrijen, dat heeft niets te maken met waar ik het over heb.'

'Als seks je geen afkeer inboezemt als lichaamsfunctie, waarom heb je dan zo'n moeite met andere lichaamsfuncties? Je aanvaardt het lichaam van een minnaar of je aanvaardt het niet.'

'Zou jij het lichaam van je geliefde nog aanvaarden als ze, laten we zeggen, een borst miste?'

Hij ging naast haar liggen en legde zijn hand op de ronding van haar gladde rug. 'Hoe moet ik dat weten? Welke vrouw? Wanneer? Dat zou van zo veel dingen afhangen. Ik zou nu já kunnen zeggen, gewoon om het goede antwoord te geven, als je dat wilt.'

'Dat is het nu precies! Dat is zo goed van jou! Jij zegt niet wat er van je wordt verwacht, zoals andere mensen.'

'O jawel, dat doe ik wel. Ik ben heel voorzichtig, ik ben van nature waakzaam, geloof dat maar.'

'Nou ja, ik ken je niet.' Ze liet haar voeten los en trok de boog van haar rug recht onder zijn handpalm. Rusteloos draaide ze zich naar hem toe, duwde de vingers van haar twee handen door het opgekamde haar boven haar voorhoofd en hield het naar achteren. Waarom laat ik me zo toetakelen door die stomme homo. Het staat ordinair. Goedkoop, ordinair.'

Hij fluisterde intiem: 'Ik vind van niet.'

In de bus wel. 'Misschien zou je niet uit de bus zijn gestapt als ik er niet zo had uitgezien. Waar moest je toen echt heen, vraag ik me af.' Maar het was geen vraag; ze wist dat ze geen antwoord zou krijgen, dat hij niet zou zeggen wat er van hem werd verwacht. Ze stelde geen vragen, net zoals ze zich er nooit in verdiepte dat hij elke avond als het ware uit het niets kwam opduiken, klaarblijkelijk ergens buiten het gezicht van het huis afgezet door een taxi. En hij vroeg niet wanneer haar man zou terugkomen; er zou een teken zijn, dat hij vanzelf zou begrijpen. Languit liggend pakte ze zachtjes de hand die op haar rug had gelegen en legde hem tussen haar dijen.

Er kwam geen teken, maar aan het eind van die week wist hij dat hij er niet meer heen zou gaan. Genoeg. Het was tijd. Hij vertrok zoals hij met haar was meegegaan, zonder uitleg. Door langer dan een week elke dag dezelfde weg af te leggen, had hij misschien een spoor achtergelaten waarlangs hij kon worden gevolgd. Hij verhuisde van de mensen bij wie hij was ingetrokken naar een ander adres. Dit was het gezin van een loodgieter, een vriend van de beweging, niet honderd procent blank, maar te onbestemd van kleur om te worden geclassificeerd, zodat een tijdelijke huisgenoot voor een lichter gekleurd familielid kon doorgaan. Een van de jongens gaf zijn bed op; de gast deelde zijn kamer met drie andere kinderen. Elke dag van het proces legden door de openbare aanklager opgeroepen getuigen verklaringen af die zijn naam bij de zaak betrokken. Hij werd er in alle kranten mee geconfronteerd; ook verscheidene van de schuilnamen waaronder hij actief was geweest werden openbaar gemaakt. Maar niet 'Harry'.

Hij was op de terugweg naar het huis van de loodgieter, toen de oudste jongen zigzaggend op zijn rolschaatsen naar hem toe kwam. De jongen kwam met een ruk tot stilstand, zodat hij hem bijna omgooide en hij gaf hem een speelse por. Maar de jongen hijgde. 'Mijn vader zegt dat u niet moet komen. Ik heb u hier opgewacht om het te zeggen en mijn broer wacht aan de andere kant van de straat, voor het geval u daarlangs zou komen. Papa heeft ons gestuurd. Ze zijn vanochtend gekomen en hebben het hele huis doorzocht, alleen Tante was thuis. Ma was ook al naar haar werk. Ze zochten u. Met honden en alles. Hij zegt maakt u zich geen zorgen over uw spullen, hij zal ze ergens heen brengen waar u ze kunt ophalen... hij heeft me verder niks verteld, alleen dat u het wel zou weten.'

Een kille schok van angst onder zijn borstspieren. Hij wachtte tot het voorbij was en concentreerde zich op hoe hij weg moest komen uit deze wijk. Hij nam een bus en toen nog een bus. Hij ging een bioscoop binnen en zat een film uit over drie mannen die een baby grootbrachten. Toen hij naar buiten kwam uit de eeuwige schemer van de filmzaal, was het donker op straat. Een plek waar hij vannacht heen kon: die had hij nodig om te kunnen besluiten waar hij morgen naar toe zou gaan, welke schuilplaats op het lijstje dat hij in zijn geest bewaarde hij opnieuw zou kunnen gebruiken. Waarschijnlijk bestond het lijstje niet alleen in zíjn geest; niets dat erop stond kon nu nog als veilig worden beschouwd.

Hij stapte een blok voorbij het huis uit de taxi. Hij drukte op het knopje van de intercom bij de brede teakhouten poort. Daar was het accent van de bediende aan de andere kant.

'Ik ben het, meneer Harry.'

'Duwt u maar, meneer Harry.' De deur zoemde.

Haar bomen, het zwembad; hij stond in de grote kamer die er altijd op wachtte te worden gevuld met gasten. Op lage tafeltjes stonden de speeltjes die zulke mensen aan elkaar geven: metalen ballen die tegen elkaar klikten (toen hij ze met een tikje van zijn vinger in beweging zette) ter illustratie van god wist welk wiskundig of natuurkundig principe... Klik-klak: een metronoom die zinloze tijd afmeet. Zij stond in de deuropening, in een gekreukelde witte broek, op blote voeten, een vrouw die niemand verwachtte, of misschien op het punt stond te kiezen wat ze aan zou trekken voor een avondje uit. 'Hal-ló.' Opgetrokken wenkbrauwen.

'Ik moest onverwachts weg – problemen met de fundering op een van onze bouwplaatsen in Natal. Ik had je willen bellen...'

'Maar dat is een beetje moeilijk.' Herinnerde ze zich, maar heel sereen, slechts half uit verlangen een punt tegen hem te scoren.

'Ik hoop dat ik je niet stoor...'

'Nee, nee. Ik was alleen een beetje aan het opruimen... een paar kasten... ik word altijd erg slordig...'

Als ik alleen ben: haar man was dus nog niet terug. 'Zou ik een borrel mogen. Ik heb een zware dag achter de rug.'

Ze spreidde haar handen opzij van haar lichaam: alsof hij daarom moest vragen! En daar kwam de bediende al aan met het dienwagentje. 'Zal ik het buiten zetten, mevrouw?'

Het was alsof hij thuiskwam. Ze gingen weer samen op het terras zitten, net als eerst. 'Het leek me zo fijn om je weer te zien.'

Ze had ijs in zijn whisky gedaan en gaf hem het glas. 'Het is ook fijn.'

Hij sloot zijn vingers om de hare rond het glas.

Toen ze hadden gegeten, vroeg ze: 'Blijf je? Alleen voor vannacht?'

Ze zwegen even, begeleid door dezelfde kikkers. 'Dat zou ik erg prettig vinden.' Hij meende het vreemd genoeg oprecht; hij voelde een teder verlangen naar haar, waardoor de angst dat ook dit een oud spoor was dat gevolgd kon worden en het besef dat zijn aanwezigheid hier niet meer was dan een korte pauze, waarin het besluit wat hij morgen ging doen zou moeten worden genomen, uit zijn gedachten werden verdreven. 'En jij?'

'Ja, ik wil graag dat je blijft. Heb je zin in een duik?'

'Niet bijzonder.'

'Nou, misschien is het ook een beetje fris.'

Toen de bediende de tafel kwam afruimen gaf ze een opdracht: 'Vraag aan Lea of ze het bed in de eerste logeerkamer voor meneer Harry wil opmaken, wil je?'

Terwijl ze op luie stoelen naast elkaar lagen in het donker, streelde hij haar arm en streek het haar van haar schouder om haar hals te kussen. Ze stond op, pakte zijn hand en bracht hem inderdaad naar die kamer en niet naar die van haar. Zo wilde ze het dus; hij zei niets, kuste haar op haar voorhoofd ten teken dat hij aanvaardde dat ze hem op deze manier zijn congé gaf, met een beleefd goedenacht. Maar toen hij naakt in bed was gestapt, kwam ze naakt binnen, trok de gordijnen opzij, maakte het raam open zodat de frisse nachtwind over hen heen blies, en kwam naast hem liggen. Hun huid trok zich plezierig samen onder het dubbele contact van de bries en elkaars warmte. Er was een grote tederheid tussen hen en misschien kwam het daardoor dat ze met lome openhartigheid een opmerking maakte over een contrast: 'Weet je, dat was verschrikkelijk wat je die eerste dag deed, toen je je zo maar ineens tegen me aan drukte. Geen liefkozing, geen kus.' Nu, terwijl ze elkaar plotseling wild begonnen te kussen, daagde hij haar plagend uit: 'En jij, jij vond het niet erg, nee, je maakte geen bezwaar... Je was niet beledigd! Maar was ik echt zo grof – heb ik echt...?'

'Reken maar, en ik ken geen enkele andere man die...'

'En iedere andere vrouw zou me in het water hebben geduwd.'

Ze omarmden elkaar vol vreugde, telkens weer. Ze voelde dat hij niet bij 'een andere vrouw' was geweest, waarheen hij na de vorige week ook was verdwenen. Midden in de nacht wist elk dat de ander wakker was geworden en door het open raam naar het vage schijnsel van vallende sterren lag te kijken. Hij wist zeker, zonder dat er een logische reden voor was, dat hij deze nacht veilig was, dat niemand ooit zou weten dat hij hier was. Zij draaide zich plotseling op haar elleboog steunend naar hem toe, hoewel ze in het zwakke geglinster van de sterren zeker zijn uitdrukking niet kon lezen, en vroeg: 'Wie ben je?'

Maar hij was niet ontdekt, was niet in het nauw gedreven. Het was geen achterdocht, gebaseerd op relevante kennis over zijn werkelijke identiteit; ze wist niets van de clandestiene wereld van de revolutie, wanneer ze in de smerige stad op straat liep tussen de boeven, de armen en de werklozen, ze had 'niets met hen te maken' – zoals ze zelf had gezegd. Wie hij was, bestond voor haar niet; hij was veilig. Ze kon alleen maar nieuwsgierig trachten hem te plaatsen binnen de alternatieven die ze kende: stak er een financieel schandaal achter zijn anonimiteit, was er een huwelijk waaruit hij wilde ontsnappen – dat waren de rampen die binnen haar blikveld lagen. Nog niet in haar wildste fantasieën kon ze bevroeden wat hij deed, daar in haar bed.

Toen bedacht hij plotseling dat het niet haar bed was: deze keer had ze hem niet toegelaten in het bed dat ze met haar man deelde. Niet tussen die lakens: ah, hij begreep het, hij had geweten dat er een teken zou zijn waarvan hij de betekenis zou raden als het zover was, en dit was dat teken. Schone lakens op dat bed, dat niet geschonden mocht worden. Haar man kwam morgen thuis. *Alleen voor vannacht.*

Hij ging vroeg weg. Ze drong er niet op aan dat hij zou blijven ontbijten op het terras. Hij moest naar huis om een bad te nemen en zich te verkleden... Ze knikte alsof ze wist wat er zou komen. 'Voordat ik naar het werk ga.' Ze wuifde hem na als een goede vriend, daar bij de poort, onder de ogen van de bediende en een tuinman die een psalm liep te zingen terwijl hij het gras maaide. Hij had een besluit genomen gedurende het respijt dat ze hem had gegeven. Hij zou het erop wagen de stad te verlaten en naar een kleinere plaats te gaan, waar een oud contact woonde, iemand die al lang niet meer actief was in de beweging, maar misschien bereid zou zijn hem ter wille van de oude band op te nemen.

Misschien was het een fout geweest; wie weet. In de menigte ben je het veiligst. Het stadje was te klein om in te verdwijnen. Na drie dagen in het gezelschap van een afgedankte naaimachine, smerige oude matrassen en muizekeutels in een schuurtje te hebben doorgebracht, waarin het oude contact hem niet zonder tegenzin had ondergebracht, ging hij vroeg in de ochtend naar buiten om een luchtje te scheppen, in het joggingpak van zijn gastheer, waarin hij er precies zo uitzag als alle andere te zware mannen die langs de straten zwoegden. Algauw merkte hij dat hij werd gevolgd door een auto. Hij kon niet anders doen dan doorgaan met joggen; bij een stoplicht stopte de auto naast hem en twee agenten in burger bevalen hem mee te gaan naar het politiebureau. Hij had een vals identiteitsbewijs bij zich, dat hij als een verontwaardigde brave burger liet zien, maar ze hadden een dossier op het bureau dat zijn identiteit bevestigde. Hij werd gearresteerd en onder geleide teruggebracht naar Johannesburg, waar hij naar de gevangenis werd gebracht. Hij verscheen op het proces waarin hij de vermiste verdachte was geweest en de pers drukte foto's van hem af uit de archieven. Met en zonder baard, met kort geknipt haar en een krullebol, de gretige, zelfverzekerde glimlach was de constant aanwezige factor van al die vermommingen. Het succes waarmee hij de politie maandenlang had weten te ontlopen vormde een sensationeel verhaal dat zelfs zijn vijanden ondanks zichzelf met bewondering zouden lezen.

In zijn cel – als een terzijde van zijn zorgen over het proces en de vreugde, ondanks alles, om weer onder zijn kameraden, de mede-verdachten, te zijn – vroeg hij zich af of ze hem had herkend. Maar het was niet waarschijnlijk dat ze de kranteverslagen over politieke processen zou volgen. Nu hij eraan dacht, was er trouwens nergens een krant te zien geweest in haar huis, waar ze veilig meende te zijn tussen de bomen, veilig voor gevaar van de kant van mensen als hij, veilig voor het heden.

WAARVAN DROOMDE JE?

• • •

Ik sta hier al heel lang aan de weg, gisteren, eergisteren, vandaag. Niet dezelfde weg, maar het is hetzelfde: heet, heet, net als vandaag. Als ze de afslag inrijden naar waar ze heen moeten, dan moet ik er weer uit, weer wachten. Sommige mensen doen net alsof er niemand staat, die willen niemand zien. Ze gaan zelfs een beetje harder rijden, en weg zijn ze, en ik maar wachten. Ik heb mijn haar gekamd, ik wil er niet uitzien als een *skollie.* Niet glimlachen, dan denken ze dat je te vriendelijk bent, dat je denkt dat je niks minder bent als zij. Ze rijden maar, rijden maar. Sommigen hebben de luier van de baby voor de achterruit gehangen tegen de zon. Sommigen gaan niet op vakantie met hun kinderen maar zijn alleen, helemaal alleen in een grote auto. Maar ze stoppen nooit als ze alleen zijn, de blanken. Nooit. Omdat die skollies en dat schorriemorrie het voor ons hebben verpest, die duwen iemand een pistool in zijn nek, stelen zijn geld, slaan hem in mekaar en nemen zijn auto mee. Soms vermoorden ze hem zelfs. Ze hebben het dus goed voor ons verpest. Geen blanke wil een of andere vent achter zijn hoofd hebben zitten. En de zwarten – als die voor je stoppen, dan willen ze geld. Ze willen dat je ervoor betaalt, als voor een taxi! De zwarten!

Maar kijk deze blanken eens: ze stoppen. Dat verbaast me want het zijn er maar twee – achterin is het leeg – en het is een mooie wagen. De ramen zijn van dat speciale glas waar je niet doorheen kan kijken als je buiten bent, maar de vrouw heeft dat aan haar kant naar beneden gedraaid en zij wenkt me met haar vinger. Zij vraagt me waar ik naar toe wil en ik zeg de volgende plaats, omdat ze je nooit te ver willen meenemen, dus zij zegt stap maar in en ze leunt naar achteren en schuift haar spullen opzij die op de achterbank liggen om plek te maken. Dan zegt ze: sluit de deur af, gewoon dat knopje naar beneden drukken, we kunnen niet hebben dat je eruit valt; en het klinkt net alsof ze een grapje maakt met iemand die ze kent. De bestuurder glimlacht over zijn schouder en hij zegt iets – ik kan het niet goed horen, dat komt door de manier waarop hij Engels praat. Dus ik zeg maar iets wat altijd goed is: ja, baas, dank u baas, ik ga naar Warmbad. Hij vraagt nog een keer, maar ik versta het niet, man – *Ekskuus?* Wat zegt u? En zij komt ertussen – ze is een dame met grijs haar en hij is een jonge man – Mijn vriend komt uit Engeland, hij vraagt of je lang op een lift heb moeten wachten. Dus ik zeg: lang? Mevrouw! En omdat ze blank zijn, vertel ik ze over de zwarten, dat die geld vragen als ze voor je stoppen. Deze keer versta ik wat de jonge man zegt, hij zegt: en de meeste blanken stoppen zeker niet? En ik ben voorzichtig, ik vertel ze over de zwarten, dat zoveel van die lui het voor ons bederven, ze roven en moorden, je kunt het de blanken niet kwalijk nemen. Dan vraagt hij me waar ik vandaan kom en zij lacht en kijkt om naar waar ik zit. Ik kan zien dat ze weet dat ik van de Kaap kom, maar ze vraagt het me toch. Ik zeg dat ik van de Kaapse Vlakte kom en zij zegt dat ik daar vast niet ben geboren en dat klopt, ik ben in Wynberg geboren, midden in Kaapstad. En toen zegt zij: en daar hebben ze jullie zeker uitgezet?

Nou snap ik wat voor soort blanke zij is, dus ik zeg ja, de regering heeft ons uit ons huis geschopt en zij zegt tegen die jonge man: zie je wel?

Hij wil weten waarom ik niet ginds in de Kaapse Vlakte ben, waarom ik hier ben, zo ver weg. Ik vertel ze dat ik in Pietersberg werk. En hij vraagt weer: waarom? Waarom? Wat voor werk of ik heb, alles, en als ik het niet begrijp vanwege zijn taal, dan komt zij er weer tussen en vraagt het voor hem. En ik zeg: plaatwerker. En ik vertel hem dat het loon heel laag is in de Kaap. En dan vertel ik ze allemaal andere dingen en sommige van die dingen zijn waar en sommige verzin ik maar, omdat ze me dan aardig zullen vinden en dan mag ik misschien wel helemaal meerijden naar Pietersburg.

Ik vertel ze dat ik zes dagen onderweg ben. Ik zal niet zeggen dat ik ook nog ziek ben, dat ik thuis ben geweest omdat ik ziek was – want zíj is niet van overzee, denk ik, zij kent dat verhaaltje. Ik vertel ze dat ik vrij moest nemen omdat mijn moeder problemen heeft met mijn broers en zusters, we zijn met ons zevenen thuis en er is geen vader. En het zou best waar kunnen zijn wat ik ze vertel. Wanneer is-ie ooit thuis, behalve als ie dronken is. En er zijn problemen met mijn broer, altijd problemen, hij heeft slechte vrienden, en mijn andere broer helpt mijn moeder niet. Dat is trouwens ook niet gelogen, want hoe kan-ie helpen als-ie in de bak zit; maar dat hoeven ze niet te weten, dan worden ze maar bang dat ik net zo ben als hij, als ik over hem vertel, beroving met de bedoeling geweld te gebruiken. Mijn zusjes zitten op school en mijn moeder heeft alleen maar haar pensioen. Já. Ik werk daar in Pietersburg en ik zweer het, mevrouw, ik stuur mijn loon elke week naar mijn moeder en zusters. Dus toen zegt hij: wil je er hier echt uit? Zullen we je niet liever naar Pietersburg brengen? En zij zegt, natuurlijk, ze gaan toch die kant uit.

Ik vertel ze nog meer. Ze luisteren zo vriendelijk en ik praat almaar door. Ik praat over de regering, omdat ik haar aldoor tegen hem hoor zeggen van deze wet en die wet. Ik zeg dat het niet rechtvaardig was dat we weg moesten uit Wynberg en naar de Vlakte moesten verhuizen. Ik vertel haar dat er daar ziektes zijn – zij vraagt: wat voor ziektes? Is het daar ongezond? En ik hoef niks te verzinnen, ik zeg alleen dat het *slecht* is, *slecht,* en zij zegt tegen de man: *zie je wel, net wat ik zei.* Ik vertel haar over het huis dat we hadden in Wynberg, maar het is niet het oude huis van mijn oma waar we zo lang met zijn allen hebben gewoond, dat waar ik ze over vertel is meer het soort huis dat zullie kennen, waar ze zelf ook niet graag uit zouden willen, met een betegelde badkamer, een elektrisch fornuis en dat soort dingen. Ik vertel ze dat we drieduizend rand hebben uitgegeven om dat huis op te knappen – mijn oom heeft ons het geld ervoor gegeven, zo zijn we eraan gekomen. Hij heeft ons zijn spaargeld gegeven, drieduizend rand. (Ik weet niet waarom ik drie zeg; die ouwe oom Jimmy heeft nooit in zijn leven drie of twee of zelfs één duizend rand gehad. Ik klets maar wat.) En toen hebben ze ons eruit geschopt. En plaatwerkers worden slecht betaald daar. Het is beter in Pietersburg.

Hij zegt: maar je bent wel ver van huis. En ik vertel haar weer, omdat zij blank is, maar ook een vrouw, met dat grijze haar heeft ze al volwassen kinderen – Mevrouw, ik stuur mijn loon elke week naar huis, 't is eerlijk waar, zodat ze te eten hebben, daar op de Vlakte. *Zes dagen onderweg,* zeg ik. Terwijl ik dat zeg, zit ik te denken. Dan zeg ik: kijkt u zelf maar, ik heb alleen deze kleren hier, ik heb al mijn spullen onderweg verkocht om te kunnen eten. *Zes dagen onderweg.* Hij is van overzee en zij is er niet zo eentje die zal zeggen dat je liegt, die je niet vertrouwt. Ik heb meteen toen ik in de auto stapte al gezien ik dat ze haar spullen niet voorin legde, zoals ze meestal doen, omdat ze bang zijn dat je iets van ze zal stelen. Zes dagen onderweg en ik ben moe, moe! Als ik in Pietersburg ben moet ik proberen een rand van iemand te lenen, zodat ik een taxi kan nemen naar waar ik woon. Hij zegt: waar woon je dan? Niet in de stad? En zij lacht, omdat hij niks af weet van hoe het hier is, van waar de blanken wonen en waar wij naar toe moeten – maar ik weet dat ze allebei zitten te denken en ik weet wat ze denken; ik weet dat ik iets zal krijgen als ik uitstap, daar hoef ik me geen zorgen over te maken. Ze voelen zich schuldig vanwege mij. Schuldig. Ik lieg trouwens niet als ik zeg dat ik moe ben, 't is eerlijk waar.

Ze heeft haar raampje dichtgedaan en hij heeft op een paar knoppen gedrukt en nu is het net als in een supermarkt hier binnen, er waait koele lucht en de ramen zijn net als een zonnebril: hij kan hier niet bij me komen, die zon.

De Engelsman kijkt onder het rijden over zijn schouder.

'Hij doet een tukje.'

'Dat zal hij vast wel nodig hebben.'

De hele reis stopt hij voor iedereen die hij langs de weg ziet staan. Sommigen zijn helemaal geen lifters, die verwachten niet dat iemand ze een lift ergens heen zal geven, ze lopen gewoon buiten in de hitte met een lege plastic kan die gevuld moet worden met water of petroleum of wat het ook is dat ze ergens in een dorpswinkel gaan kopen, of ze staan gewoon te staan, ergens tussen hun vertrekpunt en hun bestemming, omhangen met bundeltjes en kleine kinderen, en een baby op hun rug. Ze heeft er niets over tegen hem gezegd. Hij zou het alleen maar verkeerd begrijpen als ze probeerde hem uit te leggen waarom je in dit land mensen geen lift geeft. En als ze hem duidelijk maakte dat ze het desondanks niet erg vindt dat hij die verstandige maar onplezierige regel overtreedt, zou hij dat misschien ook verkeerd begrijpen en denken dat ze wilde geuren met het feit dat ze bereid was haar persoonlijke veiligheid in de waagschaal te stellen ter wille van een beetje medemenselijkheid.

Hij staat erop beleefde gesprekjes aan te knopen met die passagiers, omdat hij niet paternalistisch wil zijn, hen oppikken en ergens afzetten als even zoveel pakjes; zwijgend, ruikend naar de rook van open kookvuren, naar zon en zweet, zitten ze achterin. Ze verstaan zijn Engelse Engels niet en als hij al antwoord krijgt, dan is het als dat van een dove die op goed geluk maar iets zegt. Sommigen lachen breed van vreugde en maken hem verlegen door die te tonen op de enige manier die in hun ervaring acceptabel is in de omgang met blanken, door hem aan te spreken als *baas* of *master* als ze uitstappen en hem bedanken. Maar hoewel hij dat niet weet, te veel inzit over die namen die in zijn handen worden geduwd als zwepen waarvan het doel hem tegenstaat, niets met hem te maken heeft, weet zij elke keer dat er een moment van verzoening optreedt in de door airconditioning gekoelde auto die aan niemand toebehoort – een moment als op een brug in niemandsland waar een overeenkomst wordt getekend tussen landen die met elkaar in oorlog zijn – waarop namen niet belangrijk zijn en alle aanwezigen in elkaars gezelschap thuishoren. Hij voelt dat niet, omdat hij niet gewond is, niemand een wond heeft toegebracht of zal toebrengen.

Deze man, die aan de weg stond met zijn transistorradio in een plastic tas, stak daadwerkelijk zijn duim op als een liftende stadsbewoner; hij viel op door zijn verwachting. En toen haar reisgenoot, aan wie ze het land laat zien, onvermijdelijk stopte, las ze het gezicht aan de weg meteen: de levendige, vleiende ogen van een toneelspeler, de bijna zalmroze wangen en neusvleugels, en, toen hij glimlachend naar hen toe kwam draven, de tandeloze roze kaak tussen de twee hoektanden in, die hij zonder gêne liet zien.

Iemand die slaapt is altijd afwezig, hoewel hij aanwezig is daar op de achterbank.

'Zoals hij over zwarten praat, was dat niet vreemd? Ik bedoel, hij is tenslotte zelf zwart.'

'Nee hoor. Zag je het verschil niet? Hij is een Kaapse kleurling. Je hoort het aan zijn Engels – hoorde je niet dat hij anders spreekt dan de Afrikanen met wie je hebt gepraat?'

Maar natuurlijk heeft hij het niet gezien en niet gehoord: de man is gewoon zwart voor iemand die niet op de hoogte is van de kenmerken volgens welke mensen worden ingedeeld; en het melodramatische Engels met die langgerekte klinkers is weliswaar vloeiender dan de korte, hortende antwoorden van zwartere mensen, maar even moeilijk te volgen.

'Dus dan heeft hij een blanke grootmoeder of zelfs een blanke vader?'

Ze geeft hem een korte geschiedenisles, zoals ze de hele weg telkens heeft moeten doen. De Maleise slaven die de Verenigde Oostindische Compagnie in de zeventiende eeuw heeft overgebracht naar hun bevoorradingshaven aan de Kaap, halverwege hun route naar Indië, de Khoikhoi die de oorspronkelijke bewoners waren van dat deel van Afrika, plus de nakomelingen van Nederlandse, Franse, Engelse en Duitse kolonisten die hun dienstmeisjes van deze en andere zwarte rassen zwanger maakten, hebben aan de wieg gestaan van een volk dat het bloed van alle mensen in dit land in zich verenigt. Maar ontmoetingen langs de weg leren hem meer dan haar geschiedenislessen of de politieke analyses waarbij ze uitgaan van dezelfde ideologische benadering, hoewel hij niet deelt in de verantwoordelijkheid voor de werkelijkheid waarop die ideologie wordt toegepast. Ze heeft wetten, proclamaties, amendementen uitgelegd. De Wet op de Groepsgebieden, de Wet op de Hervestiging, de Wet op de Ordelijke Verplaatsing en Hervestiging van Zwarten. Ze heeft deze eufemismen uit het wetboek voor hem vertaald: mensen als roerend goed. Mensen die met hun kachel en hun bed in vrachtwagens worden geladen, terwijl bulldozers hun huizen wegschuiven en plat walsen. Mensen die op een andere plek worden gedumpt. Altijd op een andere plek. Mensen als de cijfers, de komma's, de nullen van de duizendtallen, waarmee individuele levens – Ordelijk Verplaatste, Uitgestroomde, In-groepen-ingedeelde Zwarten – op één hoop worden gegooid. Nu ruikt hij, hier in de auto, de intieme, vermoeide geur van een jonge man met wie zulke dingen daadwerkelijk gebeuren.

'De helft van zijn familie ziek... het moet er wel erg ongezond zijn, die plaats waarheen ze zijn gedwongen te verhuizen.'

Ze glimlacht. 'Nou, daar ben ik niet zo zeker van. Ik had het gevoel dat sommige van de dingen die hij zei... ze zijn van nature theatraal. Je moet dat met een korreltje zout nemen.'

'Dat van die moeder en zusters en zo?'

Ze glimlacht nog steeds en geeft geen antwoord.

'Maar dat verhaal dat hij zo ver van huis is gaan werken... en dat hij zijn loon naar zijn moeder stuurt? Dat ook?'

Hij kijkt naar haar.

Zoals ze daar naast hem zit, is ze niet minder in zichzelf teruggetrokken dan de ander, die achter hem ligt te slapen. Terwijl hij zijn aandacht weer op de weg richt, kijkt ze heimelijk naar hem, naar zijn blauwe ogen, die de naderende weg opmerken maar zich intussen blijven vasthechten aan de zwarte gezichten die hij probeert te doorgronden, naar de houding van zijn vuurrode hand en arm die tijdens hun tocht in de zon zijn gedompeld als in kokend water, alsof er daar ergens een plek moet zijn waardoor de worm waarmee hij geïnfecteerd moet worden in hem kan binnendringen, zodat die in zijn lichaam kan huizen en hij dat kan overleven, hij zelf in leven kan blijven door van binnen opgevreten te worden. Zodat hij net wordt als zij. Medeplichtigheid is de enige manier om het te begrijpen.

'O, het is waar, het is allemaal waar... niet zoals hij het heeft verteld. Meer waar dan zoals hij het heeft verteld. Al dat soort dingen overkomt hun. En nog meer. Ergere dingen. Maar waarom zou hij ons daarmee lastig vallen? Waarom zou hij proberen het aan ons uit te leggen? Dingen die zo ver afstaan van alles wat wij kennen, hoe kunnen ze dat ooit uitleggen? Hoe zullen we erop reageren? Onze oren dichtstoppen? Of onze handen voor ons gezicht slaan? Het portier opendoen en hem uit de auto gooien? Ze weten het niet. Maar zieke moeders en broers die in de criminaliteit verzeild raken – dat soort ellende kent iedereen, hmm? Denk maar aan de rol van de liefdadigheid in de klassenstrijd van de negentiende eeuw in je eigen land; het is allemaal in jullie literatuur te vinden. De barmhartige dochter van meneer de baron die warme soep brengt naar de stervende pachter op het landgoed van haar vader. De 'moderne' vrouw uit de gegoede burgerij die haar kokkin troost als de dochter van het goede mens haar heil heeft gezocht in de prostitutie. *Zonde* zeggen we hier. Zonde. Je hebt het vast wel eens gehoord. Wij geloven dat het betekent: wat jammer; we denken dat we er medeleven mee uitdrukken – met hen. *Zonde.* Ik weet niet wat we ermee over ons zelf zeggen.' Ze lacht.

'Dus jij denkt dat het in elk geval wel waar zal zijn dat zijn familie uit hun huis is gezet, weggestuurd?'

'Zo iets hoeven mensen als zij niet te verzinnen. Dat gebeurt elke dag.'

'Wat voor soort onderdak zouden ze hebben gekregen, waar ze heen zijn verhuisd?'

'Dat hangt ervan af. Eerst een tent. En misschien de benodigdheden om een hutje voor zichzelf neer te zetten. Misschien een geprefabriceerd huisje met één kamer. In ieder geval altijd een plaatijzeren toilet ergens in het veld. Sommige bedrijven moeten fortuinen verdienen aan regeringscontracten voor die toiletten. Je bouwt je nieuwe leven op rond dat toilet. Zijn mensen zijn kleurlingen, dus de mogelijkheid bestaat dat ze ergens heen zijn gestuurd waar al huizen voor hen waren gebouwd. Kleurlingen krijgen meestal iets betere voorzieningen dan de zwarten.'

'En zou het huis ongeveer van dezelfde kwaliteit zijn als dat wat ze hadden? Mensen die zo arm zijn – en ze hadden het opgeknapt met een bedrag dat voor hen een fortuin moet hebben geleken.'

'Ik weet niet wat voor soort huis ze hadden. We praten niet over de renovatie van sloppenwijken, moet je bedenken; we hebben het over het kapotmaken van gemeenschappen omdat ze zwart zijn en omdat men huizen of fabrieken voor blanken wil bouwen op plaatsen waar zwarten wonen. Dat heb ik je uitgelegd. We hebben het over vrachtwagens die worden vol geladen met zwarte mensen om ze ergens heen te brengen waar ze uit het gezicht van de blanken zijn.'

'En zelfs waar hij is gaan werken – Pietersburg of hoe het ook heet – zelfs daar woont hij niet in de stad.'

'Uit het gezicht.' Ze raakt de draad van haar gedachten een ogenblik kwijt, omdat ze op de weg let om de juiste afslag niet te missen. 'Uit het gezicht. Net als die moeders en oma's en broers en zusters, ver weg in de Kaapse Vlakte.'

'Het lijkt me onmogelijk dat hij al zijn loon daarheen stuurt. Ik bedoel, waar moet hij dan zelf van leven?'

'Misschien is wat hij overhoudt niet genoeg om dingen te kopen die hij echt graag zou willen hebben.'

Geen geluid, zelfs geen zucht in de slaap, vanaf de achterbank. Ze kunnen doorgaan met over hem te praten zoals er altijd over hem is gepraat, in zijn aanwezigheid, maar zonder hem.

Haar reisgenoot is bang te goedgelovig te zijn. Hij verifieert de feiten, glimlachend, net zoals hij elke keer dat hij iets betaalt, in gedachten het buitenlandse geld omrekent in ponden en penny's. 'Hij heeft zijn radio niet verkocht. Dat was hij vergeten, toen hij zei dat hij al zijn spullen onderweg had verkocht.'

'Wanneer had hij voor het laatst gegeten, zei hij?'

'Gisteren. Beweerde hij.'

Ze herhaalt wat hij haar net heeft verteld: 'Gisteren.' Ze kijkt door de ruit die de glinstering van de hitte buiten tempert. Het landschap snelt voorbij zoals gisteren voorbij is gesneld, de tijd gemeten door voorbijvliegende bomen, rijen gewassen, de veranda's van dorpswinkels, benzinestations, de benige gekromde vingers van reuzeneuforbia's, als door de voort tikkende secondewijzer van een klok. Alleen de menselijke gestalten langs de weg wachten, staan stil.

Persoonlijke opmerkingen kunnen iemand die als een blok ligt te slapen op de achterbank niet beledigen. 'Hoe komt het denk je dat zo'n jonge man geen voortanden meer heeft?'

Ze giechelt zachtjes en praat voor de zekerheid met gedempte stem. Je zult het niet willen geloven, als ik het je vertel...'

'Het lijkt vreemd... hij kan het zeker niet betalen om er nieuwe in te laten zetten.'

'Het is – hoe zal ik het zeggen – een seksuele voorkeur. Maar je ziet het vaker bij hun jonge meisjes. Bij hen laten ze de voortanden trekken als ze een jaar of zeventien zijn.'

Ze voelt zijn onzekerheid: hij wil niet begrijpen wat ze zegt en gedwongen worden tot een conclusie die gênant zou zijn voor een oudere vrouw. Zelf vraagt ze zich af of hij het niet smakeloos zal vinden als zij – op haar geslachtsloze leeftijd – het woord zou uitspreken: pijpen. 'Niemand vindt dat de ontbrekende tanden de schoonheid van het meisje bederven. Het is eenvoudig een teken dat ze weet hoe ze een man moet behagen. Onder mannen heeft het neem ik aan dezelfde betekenis... Een vorm van schoonheid. Zegt iedereen. Ze hebben ons altijd te verstaan gegeven dat dat de reden is.'

'Misschien is het gewoon een seksuele mythe. Daar zijn er zoveel van.'

Ze is het met hem eens. 'Zwarte meisjes. Chinese meisjes. Joodse meisjes.'

'En zwarte mannen?'

'O, lieve hemel ja, reken maar. Maar wij blanke dames praten daar niet over, we dromen er alleen maar van, zoals je weet! Of we hebben er nachtmerries over.'

Ze lachen. Als ze weer stil zijn, recht ze haar schouders tegen de rugleuning en gaat makkelijker zitten. De straten van een stad flikkeren als een tekst langs haar ogen. 'Hij kan wel een auto-ongeluk hebben gehad. Of misschien zijn ze eruit geslagen bij een vechtpartij.'

Ze moeten hem wakker maken, omdat ze niet weten waar hij wil worden afgezet. Hij staart naar het gerimpelde blanke gezicht (dat zich naar hem toe heeft gedraaid en hem zachtjes roept), een ogenblik in de war gebracht door dit bewijs dat hij ergens is waar hij niet thuishoort; en nu knippert hij met zijn ogen en glimlacht zijn tandeloze glimlach, zijn lip aan weerskanten opgehouden door een hoektand, en slikt en schudt zich als iemand die uit het water komt. 'Sorry! Sorry! Sorry mevrouw!'

'Waarom?' zegt ze, en de jonge man werpt een snelle blik achterom, zijn blauwe ogen worden zichtbaar over zijn schouder.

'Lekker gepit?'

'Ooh, ik was zo moe, baas, ik kon niet meer. God zegene u dat u me heb laten rusten. En met een lege maag droom je zo echt, weet u. Ik droomde en droomde en ik wist helemaal niet meer dat ik in de auto zat.'

De vraag komt van achter het stuur op de toon (een echte Engelse toon, van iemand van overzee) van iemand die hoopt iets te horen dat alles zal verklaren. 'Waarvan droomde je?'

Maar er komt alleen een sissende, proestende lach tussen de twee witte puntige tanden door. De woorden rollen over elkaar heen. '*Ag*, niks, baas, niks, allemaal ònsin...'

Het is duidelijk dat hij, als ze zouden aandringen, met een droom zou komen die hij niet heeft gehad, een verzonnen droom, samengesteld uit overdreven voorstellingen op reclameborden, afgedankte kalenders die hij ergens heeft opgepikt, rondzwervende stukken krant – maar ze kappen het af, ze vragen waar hij wil uitstappen.

'Nee, dat is niet belangrijk. Het geeft niet waar. Hier is prima. Hier maar, op de hoek. Ik moet proberen of iemand me misschien een rand kan lenen voor de taxi, ik kan niet zo ver lopen, ik heb sinds gisteren niks meer gegeten... ja, hier, als de baas hier zou kunnen stoppen...'

Het verkeerslicht staat trouwens op rood en de auto bevindt zich op de rijbaan het dichtst bij het trottoir. Haar magere sproetige witte arm, met een geoefende, lenige hand, maar geen spieren waarmee je een lading wasgoed kunt dragen of op het land werken, reikt op de tast naar achteren om het slot los te maken, waar hij onhandig aan zit te frunniken. 'Naar boven, je moet het naar boven trekken.' Ze heeft het al voor hem gedaan. 'Kun je geen bus nemen?'

'Er rijden geen bussen op zondag, mevrouw, het vervoer is heel slecht voor ons hier, kan ik u zeggen, we kunnen zondags nergens heen, alleen op werkdagen.' Hij staat buiten, de plastic zak met de radio onder zijn arm, zijn voeten in hun vuile, veelkleurig gestreepte gympen netjes naast elkaar, als een kind dat wacht tot iemand zegt dat het weg mag gaan. 'Dank u, mevrouw, dank u, baas. Dank u voor alles. God zegene u.'

De zelfverzekerde, lenige hand verdwijnt snel in de rieten tas die ze ergens onderweg op een plaatselijke markt heeft gekocht. Ze haalt er een lichtblauw bankbiljet uit (de Engelsman herkent een biljet van twee rand; hij heeft het geld van dit land uit zijn hoofd geleerd naar de kleur van de bankbiljetten) en draait zich naar de lifter om het hem te geven, een heimelijke boodschap, door de open deur achter haar. *Goede reis, baas, mevrouw.* En zij legt uit: 'Nee, je moet hem goed dichtslaan. Harder. Zo is het goed.' *Dag baas, dag mevrouw* – maar ze kijken niet om, ze hoeven het niet te zien, hoe hij denkt dat hij moet blijven wuiven, blijven glimlachen, voor het geval dat ze nog een keer zouden omkijken.

Zij is de gids en de mentor, zij is degene die het land kent. Zij is degene – ook dat weet ze – die verantwoordelijk is. Zij moet de eerste zijn die iets zegt. 'Nu zal hij tenminste een broodje of zo kunnen kopen als hij honger heeft. En de kroegen zijn zondags gesloten.'

FIT BLIJVEN

• • •

Haal adem.

Adem. Een baby, een kuiken dat uit het ei kruipt... ademhalen is een absolute noodzaak.

Buiten adem.

Haal adem! Uit zijn concentratie, waarin hij zelfs het ritme van zijn voeten vergeet – een blaasbalg, in beweging gezet door dat ene bevel, de tik op de billen waardoor een baby van schrik inademt – put hij nieuwe energie. Tenzij je iedere ochtend en avond op deze manier gaat rennen, zul je nooit weten hoe het is, want niemand herinnert het zich, die eerste ontdekking van een onafhankelijk leven: ik kan ademen.

Het gebeurde na een minuut of twintig; hij had de huizen, waar hij nooit binnen was geweest maar die hij kende omdat ze werden bewoond door mensen als hij zelf, de agressieve waakzaamheid van de honden, als altijd op hun post bij hun tuinhek, de gesloten luiken van de snackbar, *prego rolls & jumbo burgers,* en het traliewerk van de kooi die het transformatorhuisje beschermt al achter zich gelaten. Hij gebruikte die herkenningstekens als pedometer: drie kilometer. Hier, waar het netwerk van bekende straten op de grote weg stuitte, lag het eindpunt van zijn route. Soms ging hij via een omweg terug, maar hij ging nooit verder. De grote weg, niet echt een snelweg, scheidde de wijk die Alicewood heette, naar de dochter van een projectontwikkelaar, van Enterprise Park, het in een landschapspark gelegen industrieterrein, dat een buffer vormde tussen de villawijk en het zwarte woonoord, waarvan de identiteit al lang was verdronken in een illegale sloppenwijk die de fabrieksterreinen omspoelde en op elk tussenliggend stukje ongebruikte grond, helemaal tot aan de grote weg, zijn residu van plaatijzer en oude zakken had achtergelaten.

Iemand – de gemeente – had een hoge schutting van golfplaat neergezet om het passerende verkeer van het uitzicht af te schermen.

Op zondagochtend om zes uur is de vierbaansweg verlaten. Ginds aan de overkant hangt nog wat kringelende rook van de kookvuurtjes van de vorige avond vredig in de lucht, een teken dat er daar mensen wonen. In het huis waar hij uit is gekomen, slapen zijn vrouw en drie kinderen nog; ze hebben niet gemerkt dat hij is opgestaan, langs hun deuren is gelopen. Het is alsof hij zijn lichaam in de afdruk in de matras naast haar heeft achtergelaten, eruit is opgestaan en op geruisloze zolen vertrokken. Boven het vermoeide wegdek hangt de geur van asfalt die op weekdagen verloren gaat in de uitlaatgassen; bij zijn keerpunt aangekomen, geeft hij toe aan de stille verleiding een paar stappen op de weg te doen, nu hij het gebeukte wegdek helemaal voor zich alleen heeft. De bestrating voelt plezierig aan onder zijn voeten, als een versleten rubbermat.

Hij begon er gestaag overheen te rennen. Geen bakens nu waaraan hij de afstand kan afmeten; in plaats daarvan bracht zijn brein een dubbele stroom van herinneringen op gang, vrijgemaakt door het bonzende hart dat bloed omhoog stuwt naar hersencellen waar flarden van gevoelens en beelden uit zijn jeugd lagen opgeslagen, versmolten met het spel van fragmenten van de afgelopen week. Het gewriemel van donderpadjes in zijn zak toen hij van school naar huis liep, en de geërgerde trek om de mond van zijn accountant toen hij aanmerkingen maakte op een of andere berekening, de veranderende vorm van de billen van een meisje dat haar gewicht naar haar andere been verplaatste toen ze vrijdag voor hem in de rij stond bij de bank, en een plotseling opkomend beeld van zijn vader, die zich nu hier dan daar overheen boog in een moestuin, hoog boven hem uit torende, gezien vanuit het perspectief van een kind dat stout was geweest (was hij niet weggelopen of zo iets?); dezelfde en toch niet dezelfde gestalte, door artritis geveld, zijn been voor zich uitgestrekt alsof het van hout was, met de afwezige blik van iemand die zich nu alleen nog maar in de richting van de dood kan bewegen, de geur van het meisje in de bank toen de uitwaseming van haar ongeduld een boodschap van haar lichaam naar het zijne overbracht – dit alles op het regelmatige ritme van zijn ademhaling, in en uit. Dit samengaan van zo verschillende herinneringen, maakt dat het kraaien van een haan in de stad niets ongerijmds heeft, maar eerder de boodschap van een heraut lijkt: het is dag, vandaag, tijd dat de spoken verdwijnen, tijd om terug te gaan. Het hanegekraai komt van daarginds achter de schutting, een plaats die zelf ook is ontstaan in weerwil van een verband, een plan, een omschrijving, en waar het ontwaken van het boerenerf is vermengd met het inklokken van de arbeiders in de fabrieken vlakbij.

Natuurlijk, ze hielden kippen tussen het vuil en de ellende daar achter de schutting. Hij moest nog een paar kilometer hebben afgelegd; er stonden hier geen fabrieken meer, maar de sloppenwijk bezette het hele terrein langs de overkant van de weg. Hier had de metalen schutting het op enkele plaatsen begeven onder de druk van er tegenaan leunende hutjes, en gedeelten waren gestolen om als dak te dienen voor andere onderkomens; toch was het leven dat zich daar afspeelde niet zichtbaar vanaf de weg, want de rommelige opeenhoping van provisorische hutjes, gebouwd van planken en latten, onderdelen van kapotte voertuigen, karton en lappen plastic, maakte het onmogelijk precies te zien hoe ver dat krioelende mierennest zich uitstrekte. Maar toen hij zich omkeerde om naar huis te gaan – barstte het open en openbaarde zich.

Er kwamen mannen op hem af stormen. In de aanval leken hun gezichten overdreven als close-ups in een film; gedurende een verschrikkelijk ogenblik zag hij – het was meer zien dan voelen – zijn eigen verkrampte mond en wangspieren, de plotselinge doodsangst die zijn mond moest hebben opengesperd en zijn wangen uitgerekt als een rubbermasker. Ze stormden langs hem heen, botsten tegen hem op, duwden en stompten hem. Maar alleen in het voorbijgaan: hij werd met de stroom meegesleurd. Ze hadden het niet op hem gemunt. Er sloegen stoppen door toen de paniekimpulsen zich door zijn hersenen verplaatsten, hij ontving de onsamenhangende boodschap dat hij een obstakel op hun weg was – een doos waar ze over struikelden, een oude binnenband, voortgeschopt door hun voeten – een ding dat werd meegesleurd door hun wilde achtervolging. Een man die hij eerst voor een van hen had gehouden, was degene die ze nazaten; en de doodsangst van die man en hun woede waren één enkele razernij, zodat hij hem eerst niet van de rest had onderscheiden. Het hemd van de vluchtende man was half van zijn rug gescheurd, een andere man rende hinkend op één schoen, sommigen hadden een rode lap om hun hoofd gebonden als piraten, er zwaaiden knotsen boven hun hoofden, ze waren gewapend met lange stukken ijzerdraad, sterk en scherp genoeg om iemand mee te doorsteken, een van hen draafde met een voorhamer over zijn schouder, er waren hakmessen, en een slagersmes, geslepen in de vorm van een zwaard, bungelde aan een riempje van gevlochten rood plastic om iemands pols. Ze brulden in een taal die hij niet hoefde te verstaan om te kunnen begrijpen wat ze zeiden, uit het razende vuur binnen in hen steeg de stank op van adrenalinezweet. Het slachtoffer rende zo hard dat zijn knieën bijna zijn kin raakten. Hij zigzagde over de weg, de weg die nooit mocht worden overgestoken, en de dicht opeengedrongen massa rende achter hem aan, belemmerd door hun angstaanjagende wapens. En hij, die ongewild in de achtervolging terecht was gekomen, werd meegesleurd als door een menigte carnavalvierders, waarin de aanwezigheid van de dood deze keer geen maskerade was.

De race van achtervolgde en achtervolgers zwenkte plotseling naar de overkant van de weg. Hij werd naar de buitenkant van de menigte geduwd en greep zijn kans.

Eruit.

De schutting lag omver. De hutjes: hij bevond zich aan de verkeerde kant van de weg. De weg was niet langer de veilige grens tussen die plaats en zijn villawijk, maar een barrière die hem verhinderde de verkeerde kant te ontvluchten. Op de lege weg (*kwam er dan niemand om er een eind aan te maken*) viel de man onder woest gebrul en de slagen van een knots met een knoestige kop zo groot als een kinderhoofd; het slagersmes kwam neer, de puntige stukken ijzerdraad wroetten, het lichaam kronkelde eronder vandaan als een in stukken gehakte worm. Op het met olie bevlekte asfalt stroomde bloed over ander weggedruppeld vocht.

Hij vluchtte naar de hutjes. Twee kinderen met alleen een hemdje aan zaten gehurkt te plassen. Ze sprongen op en vluchtten voor hem uit als ratten. Een man tilde een voor een deuropening hangende juten zak op en liet die snel weer dichtvallen. Hij zag pannen en as en een vastgebonden ezel, de bladderende carrosserie van een auto als het leeggevreten schild van een reusachtige tor, manke karretjes van een supermarkt, lemen muren, bierblikjes; stilte. Leegte: of het vacuüm dat wordt geschapen door de mensen die achterblijven in het kielzog van een uitbarsting van geweld, die zich erbuiten houden, hun adem inhouden. Tussen de muren, of wat daarvoor doorging, lag een warnet van steegjes, doorgangen die zo smal waren dat hij het gevoel had één groot gebouw te zijn binnengegaan, waarvan de bewoners hem – zijn ademhaling, zijn hijgende ademhaling – onzichtbaar van kamer tot kamer volgden. Een blanke! Hij voelde zich uitsluitend een blanke, zonder andere identiteit of mogelijkheid zich bekend te maken: een juten zak voor een deuropening weg te trekken en te zeggen 'ik ben makelaar', zich voor te stellen, zijn vertrouwenwekkende adres op te geven – dat was niets, zulke omschrijvingen van zijn leven betekenden hier niets. En toen kwam er een vrouw naar buiten uit een hutje dat een deur had. 'Hier, kom binnen. Het is gevaarlijk.' Een stevige greep, een mollige toffeekleurige bovenarm in een strak zittende, geel met roze gebloemde mouw. Ze gaf hem een duwtje in zijn rug terwijl hij de deuropening in dook.

'Ze zijn verschrikkelijk, die mensen, ze vermoorden iedereen. Echt waar.' Ze had een streng gezicht, het gezicht van een fatsoenlijk mens, van een zwarte vrouw die iedere zondag naar de kerk gaat, met een afstandelijke blik, haar ogen half dichtgeknepen achter een bril met een vlindermontuur, versierd met vergulde krulletjes. Andere mensen, vaag zichtbaar in het schemerdonker, staarden hem aan. Een stuk zeildoek bedekte de plaats waar een vierkant raampje moest zijn. Er viel alleen wat licht naar binnen door de openingen tussen de plaatijzeren wanden en het dak vlak boven zijn hoofd. 'Ja, ziet u, ik ren graag... ik was net een eindje aan het rennen, aan de overkant van de straatweg...'

Een jongen die met zijn rug naar deze verschijning toegekeerd zijn nagels zat schoon te maken, kinderen, een gebogen man in een pyjamabroek en een pullover, een meisje met een deken om haar lichaam gewikkeld onder naakte schouders, haar *doek* scheef gezakt in haar slaap.

Hij raakte een ogenblik in paniek, zou zich het liefst tegen die vrouw aan willen laten zinken, zich vastklemmen aan het gebruikte, grote lichaam onder haar schort, bevend bescherming zoeken achter het schild van haar warmte. 'Wat gebeurt er? Wie was het? Hij is dood, daar op de weg.'

Zij deed voor iedereen het woord: 'Van het logement. Ze komen van het logement, ze komen hierheen om ons te vermoorden.'

'Ik heb erover gelezen.' Zijn hoofd schudde als dat van een marionet, terwijl het steeds dieper en dieper op zijn borst zakte.

'U hebt erover gelezen!' Ze gaf een kort knallend lachje. 'Iedere nacht, wij weten het nooit. Ze komen of ze komen niet.'

'Wie zijn het?'

'De politie stuurt ze.'

Hij kon niet tegen de vrouw zeggen: dat is niet wat ik erover heb gelezen.

'Morgen kan híj het zijn. De vrouw haalde haar over elkaar geslagen, mooie armen van elkaar en wees naar de jongen.

'Hij?'

'Ja, mijn zoon. Ze kloppen op de muur, roepen dat alles in orde is, noemen hem kameraad, zodat hij ze zal geloven, en als hij niet naar buiten komt, trappen ze de deur in en slaan mijn man in elkaar – daar, u ziet hem, hij is al oud – nemen mijn zoon mee en vermoorden hem.'

Niets wekt bij iemand met zo veel zekerheid medeleven met een ander als eigen gevaar. 'Het was moedig van u dat u de deur hebt opengedaan. Ik bedoel voor mij. Ik weet niet hoe ik u moet bedanken. Waarom hem? Waarom zouden ze uw zoon komen halen?'

De jongen ging abrupt verzitten, draaide de verschijning die zijn moeder bij hen binnen had gebracht nog nadrukkelijker zijn rug toe.

'Mijn zoon zit bij de Jeugd... het straatcomité.'

Het soort dat de huizen van zwarte beambten in brand stak, bussen met stenen bekogelde, scholen boycotte... en hier woonde: langzaam drong het vanuit het schemerdonker en zijn eigen geschokte toestand tot hem door wat voor huis dit was. De intimiteit drukte aan alle kanten op hem, een mal waarin zijn eigen dimensies opnieuw werden gedefinieerd. Hij nam ruimte in waar de ruimte die aan elk van de bewoners was toegemeten, nauwgezet moest worden vastgesteld en in acht genomen. Het vertrek was over de breedte in tweeën gedeeld met gordijnen die niet helemaal dicht waren; daarachter zag hij het tweepersoons bed staan, bedekt met een groene satijnen sprei met een geplooide rand, dat de ene helft in beslag nam. Een tafel met pannen en een primus, een dressoir met serviesgoed, een uitgezakte leunstoel waar de oude man in wegzonk, een radio-cassettespeler met veel glimmend chroom, een kalender met foto's van vrouwelijk schoon, de Goede Herder, ingelijst, met een aureool van goudpapier, lusteloos aan spijkers bungelende kleren, een vage donkerte van opgevouwen dekens – dat was de andere helft. Hij zag nu dat er behalve de volwassen zoon en dochter nog drie kinderen waren; er woonden hier zeven mensen.

De vrouw had het spirituscomfoor aangestoken en gaf in hun eigen taal een opdracht aan de dochter. De deken met één hand vasthoudend, schuifelde het meisje met zedig tegen elkaar gedrukte knieën naar het dressoir, pakte er een kop en schotel af, veegde ze af met een doekje, deed een theelepel melkpoeder in het kopje en, opnieuw aangespoord door haar moeder, een schepje thee in een kan. Als een slaapwandelaar. Niemand sprak behalve de vrouw. Maar hij voelde dat ze zich bewust waren van zijn aanwezigheid: de oude man verward, alsof er bezoek was gekomen waarover niemand hem iets had verteld, de kinderen nieuwsgierig starend, de jongen vijandig, het meisje – het meisje wenste dat ze door de aarden vloer van de hut kon zinken, alsof híj de bedreiging vormde en niet de overvallers wier woedende gebrul ginds van de weg opsteeg, aanzwellend en luwend als stormvlagen die tegen de dunne plaatijzeren muren bliezen. De oude man stond plotseling op en gebaarde dat hij in de leunstoel moest gaan zitten.

'O nee... blijft u toch zitten, ik hoef niet...'

De vrouw bracht hem de kop thee en, in haar andere hand, een blikje met suiker. 'Nee, nee, ga zitten, ga zitten. U ziet hoe het hier is, de regen stroomt naar binnen, we moeten de kieren tussen het plaatijzer proberen dicht te stoppen met plastic, maar we kunnen een gast nog wel een stoel aanbieden.'

Terwijl hij de naar petroleum smakende thee dronk, bleef ze vermanend naast hem staan. 'U moet hier niet komen.'

'Gewoonlijk kom ik ook niet zo ver, alleen vanmorgen toevallig, ik liep aan de overkant van de grote weg, er was niemand... het gebeurde ineens, ik liep hen in de weg.'

Ze trok haar lippen tussen haar tanden en schudde haar hoofd om zijn dwaasheid. 'U hebt hier niets te zoeken.'

Neem geen risico's. Ga niet de grote weg op. Zijn vrouw, als hij nog even wilde rennen voor het slapen gaan, beschermend, jaloers omdat hij iets deed waar zij buiten stond.

'Ik zou liever naar huis gaan, in Lebowa, maar hoe kunnen we gaan, hij heeft werk in de stad, hij is bewaker in de ondergrondse parkeergarage, hij staat bij de ketting waar de auto's binnenkomen als ze onder het gebouw gaan parkeren, hij is nu te oud om alleen hier te blijven.'

Het gebrul op de weg stierf langzaam weg in de verte. De ochtendgeluiden, gekuch, huilende baby's en het klateren van water in metalen emmers, werden weer hoorbaar. Hij stond op en zette het kopje zorgvuldig op de tafel neer.

'Wacht.' Ze draaide zich naar de jongen en zei iets tegen hem. Hij antwoordde met de norse bokkigheid van een puber. Ze sprak voor de tweede keer en hij stak zijn hoofd door de deur. Ze bleven allemaal roerloos zitten in de houding waarin de smalle streep licht van de ochtendzon hen aantrof; de jongen glipte naar buiten en sloot hen weer op in het schemerdonker. De vrouw zei niets terwijl hij weg was. Het nabeeld van het profiel van de jongen tegen het zonlicht danste nog in het halfdonker voor hun ogen; het wachten was de eerste stemming die de man die hier een toevlucht had gevonden met hen deelde. Hij hoorde hen ademen zoals hij zelf ademde.

De zoon kwam nors terug en zei niets. Zijn moeder ging naar hem toe en daagde hem van aangezicht tot aangezicht uit. Hij antwoordde met woorden van één lettergreep, die ze uit hem trok.

'Het is nu veilig. Maar u houdt van rennen, dus rent u maar.' Hij had het gevoel dat ze hem plaagde in de opluchting na de spanning. Maar ze zou het zich nooit veroorloven grapjes te maken met een blanke man, ze bleef op een afstand, een waardige matrone.

Hij gaf de oude man een hand, bedankte hem, bedankte hen allemaal, onhandig, overvloedig – er kwam geen reactie toen hij ook de kinderen, de zoon, de dochter, erbij betrok – en hij hoorde zijn eigen stem alsof hij tegen zichzelf sprak.

Hij deed de deur open. Ze keek hem met gekruiste armen aan. 'God zegene u.'

Het vertellen welde op in zijn mond als speeksel; hij was aan de goede kant van de weg, rende naar huis om te vertellen wat hem was overkomen. Hij slikte en slikte in zijn haast, het duurde zo lang eer hij er was. Nu en dan maakte zijn hoofd een rukkende beweging terwijl hij rende: hij kon het niet geloven. Zo snel allemaal. Een lekker gangetje, rustig en gelijkmatig, over het zachte tarmac, geen mens te zien, en voor je tijd hebt om adem te halen – je voor te bereiden, te besluiten wat je moet doen – overkomt het je. Plotseling, het was opzienbarend. Zo zal het gebeuren, zo gebeurt het altijd, overal! Blijf er uit de buurt. Ze kwamen eraan, op hem af, niet achter hem aan, nee, maar ze sleurden hem mee. Eerst wist hij het niet, maar ze waren op bloed uit, het bloed van de man die stervend op de weg zou liggen. Dat is de werkelijke betekenis van meegesleurd worden, dat je niet weet wat je doet, niet kan stoppen, nee roepen – die verschrikkelijke onvoorstelbare toestand waar je al die tijd in hebt verkeerd. En hij had niets bij zich gehad om aan die vrouw, die oude man te geven; als hij ging rennen had hij altijd alleen wat kleingeld en zijn huissleutel bij zich in dat handige kleine zakje in zijn schoen, een van de voordelen van dit soort sportschoenen, net als de verende werking van de binnenzolen: hij kon haar toch geen fooi geven! Maar als hij er nog een keer heen ging met, zeg honderd rand, vijftig rand, zou hij dat hutje dan kunnen terugvinden tussen al die andere? Hij had haar moeten vragen waar ze werkte, ze was kennelijk ergens als dienstmeisje of iets dergelijks, dan had hij haar naar behoren kunnen belonen, haar kunnen opzoeken op het adres waar ze werkte. Waar was het bedrijf waar haar man de ketting omhoog hield zoals je zwarten ziet doen bij de ingang van ondergrondse parkeergarages? Had ze de straat genoemd? Hij moest wel in zijn broek hebben gescheten van angst (sneerde hij), dat het niet tot hem was doorgedrongen wat de vrouw zei! Ze had waarschijnlijk zijn leven gered. Hij voelde de euforie van de overlevende. Het gevoel hield over de afstand van een half blok stand. Er kwam een auto voorbij vol mannen met golfpetjes op die vroeg wilden starten, en er naderden een paar joggers, net uit bed, die in het voorbijgaan kameraadschappelijk naar hem wuifden. Hij had het gevoel dat wat hij had meegemaakt van zijn gezicht af moest stralen, als ze maar hadden geweten hoe ze moesten kijken, als ze dat maar hadden geleerd.

Maar hij moest niet overdrijven.

Was zijn leven echt in gevaar geweest? Hij had gedood kunnen worden door een klap van iets, om hem uit de weg te duwen, ja, die voorhamer – die had hem een gemene slag kunnen toedienen. Het slagersmes, hakmes, wat het ook was, met die griezelige zwaardpunt en dat gevlochten riempje, hetzelfde materiaal als die aardige matjes die ze maken en op straat verkopen, dat zou je kunnen scalperen, met één haal je keel doorsnijden. Maar ze schenen hem helemaal niet te hebben gezien. Ze zagen alleen die ene man die ze nazaten, en dat was hij niet. Onder zijn rennende voeten op het grazige trottoir in de villawijk zag hij een patroon van bloed op asfalt.

Hoe moest hij weten of het waar was wat ze zei, toen ze beweerde dat ze door de politie werden gestuurd om onrust te stoken.

Hij las de kranten, het konden ook best mensen van Inkatha zijn geweest, die iemand van het ANC vermoordden, het konden mensen van de straatcomités zijn geweest – haar zoon zat er ook in, had ze hem verteld – die een plaatselijk gemeenteraadslid te grazen namen dat als een stroman van de regering werd beschouwd, of het konden ANC-mensen zijn geweest die wraak namen op een verklikker van de politie. Hij was niet in staat, zoals iemand als zij, de insignes te herkennen van de zaak die ze dienden, de lappen die ze om hun hoofd droegen of het soort wapens dat ze voor zichzelf in elkaar hadden geflanst, de leuzen die ze schreeuwden. Hij moest haar geloven, wat ze hem ook verkoos te vertellen. Aan welke kant ze ook stond – God weet of ze het zelf wel wist, opgesloten in die hut, worstelend om het hoofd boven water te houden – ze had haar deur opengedaan en hem binnengelaten.

Waarom?

Waarom zou ze dat hebben gedaan?

God zegene u.

Uit christelijke caritas? Liefde – zo'n soort reden? Maar hij was niet welkom geweest in het krot, ze had de afkeer, de wrok, de onrust die zijn binnenkomst veroorzaakten in bedwang gehouden, maar zij zelf had weinig sympathie gehad voor zijn domme gedrag. *U hebt hier niets te zoeken.* Hij hoorde nog iets anders: *Denken jullie dat je maar overal kunt komen, is zelfs deze vuilnisbelt van jullie als het je zo uitkomt, als je je hier wilt verbergen om je hachje te redden.* En hij had het beschamende verlangen gevoeld zich aan haar vast te klemmen, veilig, veilig, gerustgesteld, beschermd tegen de geluiden en het gezicht van slagen en bloed, een bescherming die alleen kon worden geboden door iemand die tot degenen behoorde die de moordenaars voortbrachten, maar zelf geen moordenaar was.

Toen hij ter hoogte van de veiligheidskooi van het transformatorhuisje, de snackbar, en vervolgens de garage en de huizen die op het zijne leken was gekomen, nam het verlangen om het te vertellen tegelijk met het hevige bonzen van zijn hart af. Hij hoorde zichzelf zijn verbazing beschrijven, zijn schrik, zelfs (een ontwapenend eerlijke bekentenis) zijn doodsangst, genietend van de tranen (uit angst hem te verliezen) in de ogen van zijn vrouw, terwijl hij vertelde over de nederige goedheid van de onbekende vrouw, die haar ronde toffeekleurige arm had uitgestrekt en hem naar binnen had getrokken uit het gevaar, hoorde zichzelf de volte en de armoede in het hutje beschrijven, waar de weinige bezittingen die ze hadden te veel plaats innamen, het bed met een gordijn afgeschermd in een poging een altaar van privacy te scheppen; en ten slotte de vroom sentimentele zegen die ze hem had meegegeven, toen hij veilig naar huis kon terugkeren om te ontbijten. Het verlangen om het verhaal te vertellen begroef zich diep in zijn binnenste, waar niemand het er ooit uit zou kunnen krijgen, omdat hij nooit zou weten hoe hij het moest uitleggen, hoe het precies in elkaar zat.

'Een beetje overdreven, niet? Jezelf zo uit te putten...' Zijn vrouw keek half verwijtend, half geamuseerd naar de glimmende stroompjes zweet op zijn gezicht en naar zijn mond, die een eindje open stond om beter te kunnen ademen. Maar ze liep nog in haar peignoir, op blote voeten, net uit bed, en ze had beslist geen idee hoe lang hij was weggeweest terwijl het huis sliep. Zijn dochter zat cornflakes te eten en praatte onderhand zachtjes tegen een papieren poppetje, waarmee ze een gespeelde tweespraak hield, zoals kinderen vaak doen; hij hoorde de jongens door de tuin rennen: voor hen hadden de dagen nog geen vingerafdruk.

Hij dronk een glas sinaasappelsap met een glas water er achteraan. 'Ik eet straks wel wat.'

'Dat zou ik ook zeggen! Ga nog maar even liggen. Wil je je jezelf een hartinfarct bezorgen? Het lijkt wel of je een marathon hebt gelopen. Hoe ver ben je vandaag eigenlijk geweest?'

'Dat houd ik nooit zo precies bij.'

'Nee, lieve schat, dat blijkt wel.'

In de slaapkamer de kamerfiets, op weg naar nergens.

Makelaar van beroep, haar lieve schat, woonachtig op dit adres. Hij trok zijn sportschoenen uit en gooide zijn hemd op de grond. Hij stonk naar hetzelfde zweet als de mensen tussen wie hij verzeild was geraakt in een achtervolging die hij niet begreep.

Het onopgemaakte bed was heerlijk. Haar gordijnen, blauwe zij met een patroon van seringen, waren nog dicht, maar de ramen stonden open en de stof golfde op en neer in de bries die zachtjes over zijn natte borsthaar streek. Hij sloot zijn ogen. Aan de rand van het donker drong er een heel klein, zwak, bedeesd, hoog geluidje tot hem door; hij wreef over zijn oor, maar het ging niet weg. Verlangend naar slaap probeerde hij het geluid te laten opgaan in het stromen van zijn bloed, zijn ademhaling. Als hij zijn ogen opendeed en werd afgeleid door de indrukken van de kamer – de kaptafel met de beschilderde porseleinen hand waar haar kettingen en oorbellen aan hingen, de open kleerkast met een dikke franje van dassen aan een rekje, een rode roos, verdrievoudigd in een hoek tussen spiegels, zijn aktentas, voor het weekend op de chaise longue gedumpt, de kamerfiets – kon hij het alleen horen als hij zich ervoor inspande. Maar zodra hij in het donker lag, was het er weer: een zwak klaaglijk geluidje, als het krassen van een nagel. Hij kwam moeizaam overeind en liep langzaam de kamer door, op zoek naar de bron, als een blinde die maar op één zintuig afgaat. Het zat ergens achter een muur, drong door in de gesloten ruimte van zijn hoofd vanuit een andere gesloten ruimte. Een vogel. Een vogel die ergens vastzat. Hij zocht nu gerichter: het getjilp kwam uit een regenpijp naast het raam.

Hij strompelde terug naar de ontbijttafel, van vermoeidheid kletsten zijn voetzolen over de vloer alsof hij platvoeten had. 'Er zit een vogel in de regenpijp bij het raam.'

'Ja, dat hebben de kinderen me al verteld.'

'Nou, laat ze dan de ladder pakken en hem eruit halen.'

'Waarschijnlijk is het een jong van die mina's die een nest hebben gebouwd onder de dakrand. Het moet in de goot zijn gevallen en toen in de regenpijp zijn terechtgekomen, het zit gevangen... wat kunnen de jongens doen?'

'Nou, wat doen we eraan?'

'We kunnen moeilijk de brandweer laten komen. Het arme ding. We kunnen alleen maar wachten tot het dood gaat.'

Weer in de slaapkamer op bed liggend luisterde hij met gesloten ogen. Elke keer dat het geluid even ophield, moest hij wachten tot het opnieuw begon. Doodgaan. Het wilde niet dood. Daar, in een andere donkerte, riep een minuscuul stukje leven om hulp, bleef roepen. Hij sprong uit bed en rende het huis door op zoek naar zijn vrouw, brulde met van woede trillende handen. 'Haal dat ellendige beest eruit, wil je! Duw een stok omhoog, pak de ladder, haal de regenpijp eraf. Godallejezus!'

Ze staarde hem aan, nam afstand van zijn vertoning. 'Wat verwacht je van kleine jongetjes? Ik wil niet dat ze hun nek breken. Doe het dan! Doe het zelf! Doe jíj het als je het kan! Jij bent toch zo'n atleet?'

AMNESTIE

• • •

Toen we hoorden dat hij vrij was, rende ik het land over en klom over het hek, naar onze mensen op de volgende boerderij om het aan iedereen te vertellen. Later zag ik pas dat ik mijn jurk had gescheurd aan het prikkeldraad en dat ik een bebloede schram op mijn schouder had.

Hij is hier negen jaar geleden weggegaan met een contract om in de stad te gaan werken voor wat ze een constructiebedrijf noemen. Ze moesten daar glazen muren bouwen, hoog in de lucht. De eerste twee jaar kwam hij iedere maand een weekend naar huis en met Kerstmis twee weken. In die tijd vroeg hij mijn vader om mij. En hij begon met betalen. Hij en ik dachten dat hij in drie jaar genoeg zou hebben gespaard om met me te kunnen trouwen. Maar toen ging hij dat T-shirt dragen, hij vertelde ons dat hij lid van de vakbond was geworden. Hij vertelde ons over de staking, dat hij een van de mensen was die met de bazen gingen praten omdat een paar anderen na afloop waren ontslagen. Hij heeft altijd goed kunnen praten, zelfs in het Engels – hij was de beste op de boerderijschool, hij las altijd de kranten waarmee de Indiër zeep en suiker inpakt als je die bij hem in de winkel koopt.

Er waren problemen in de barak waar hij een bed had en er waren rellen over de huur in de townships. Hij vertelde me – alleen aan mij, niet aan de oude mensen – dat als de mensen, waar dan ook, vochten tegen de manier waarop wij worden behandeld, dat ze dat dan voor ons allemaal deden, niet alleen voor de mensen in de steden, maar ook voor die op het land, en dat de vakbonden ze hielpen, dat hij ze hielp, dat hij toespraken hield en meeliep met marsen. In het derde jaar hoorden we dat hij in de gevangenis zat. In plaats van met mij te trouwen.

We wisten niet waar hij was, tot zijn proces begon. De zaak werd in een stad, ver weg, behandeld. Ik kon niet vaak naar het gerechtshof toe, want ik had net niveau acht gehaald en gaf les aan de kleintjes op het boerderijschooltje. En bovendien hadden mijn ouders maar weinig geld. Twee van mijn broers, die naar de stad waren gegaan om te werken, stuurden niets naar huis. Die woonden zeker met vriendinnetjes samen voor wie ze dingen moesten kopen. Mijn vader en mijn andere broer werken hier voor de Boer en ze krijgen heel weinig loon. We hebben twee geiten en een paar koeien die we mogen laten grazen en een stukje grond waar mijn moeder groenten op kan telen, maar dat brengt geen geld op.

Toen ik hem zag, in de rechtszaal, zag hij er heel mooi uit, in blauw pak met een gestreept overhemd en een bruine das. Alle verdachten – zijn kameraden noemde hij ze – waren goed gekleed. De vakbond had die kleren gekocht, zodat de rechter en de officier van justitie zouden weten dat ze niet met domme ja-baas-zwarten te maken hadden, die hun rechten niet kenden. Die dingen en alle andere dingen over de rechtbank en het proces legde hij me uit als ik hem in de gevangenis mocht opzoeken. Ons kleine meisje werd in die periode van het proces geboren en toen ik de baby meenam naar de rechtszaal om haar aan hem te laten zien, omhelsden zijn kameraden hem en toen omhelsde hij mij over de balustrade van de verdachtenbank heen. Ze hadden wat geld bij elkaar gebracht voor een cadeautje voor de baby. Hij koos een naam voor haar: Inkululeko.

Toen was het proces voorbij en hij kreeg zes jaar. Hij werd naar het Eiland gestuurd. We wisten allemaal van het Eiland. Onze leiders zaten daar al zo lang. Maar ik had nog nooit de zee gezien, behalve als ik hem blauw inkleurde op de kaart op school, en ik had geen idee hoe dat eruitzag, een stuk land omringd door de zee. Ik kon het me alleen voorstellen als een koeievla die in een plas regenwater drijft waar het vee doorheen is gelopen; en in het water kun je als in een spiegel de lucht zien, blauw. Ik schaamde me ervoor dat ik het me alleen maar zo voor kon stellen. Hij had me verteld hoe je in de glazen muren de bomen langs het trottoir kon zien en de andere gebouwen in de straat en de kleuren van de auto's en de wolken als de kraan hem op een platvorm steeds hoger in de lucht tilde om helemaal boven aan een gebouw te kunnen werken.

Hij mocht één keer in de maand een brief ontvangen. Dat was een brief van mij, omdat zijn ouders niet konden schrijven. Ik ging dan altijd naar ze toe op een andere boerderij waar ze werkten, om te vragen wat voor boodschap ze wilden dat ik stuurde. Zijn moeder huilde altijd en legde haar handen op haar hoofd en zei niets en de oude man, die iedere zondag voor ons preekte in het veld, zei: zeg tegen mijn zoon dat we God bidden dat het goed met hem mag gaan. Hij schreef een keer terug: dat is het probleem – ze vertellen onze mensen op de boerderijen dat God zal beslissen wat goed voor ze is, opdat ze nooit de kracht zullen vinden iets te doen om hun leven te veranderen.

Na twee jaar hadden we – zijn ouders en ik – genoeg geld gespaard om naar Kaapstad te gaan en hem te bezoeken. We gingen met de trein, we sliepen in het station op de grond en de volgende ochtend vroegen we de weg naar de veerboot. De mensen waren heel vriendelijk. Ze wisten allemaal dat je iemand op het Eiland had, als je de weg naar de veerboot vroeg.

En daar was hij, daar was de zee. Hij was groen en blauw en hij rees en daalde en spatte wit op, helemaal tot in de lucht. Een verschrikkelijke wind sloeg hem alle kanten uit, zodat het Eiland niet te zien was, maar andere mensen als wij, die ook op de veerboot wachtten, wezen ons waar het eiland moest zijn, ver weg in de zee, die er in werkelijkheid zo anders uitzag dan ik had gedacht.

Er waren andere boten, en schepen zo groot als gebouwen, die naar andere plaatsen voeren, overal in de wereld, maar de veerboot is alleen voor het Eiland, die gaat nergens anders heen, alleen naar het Eiland. Dus iedereen die daar stond te wachten, wachtte om naar het Eiland te gaan, we konden ons niet vergissen, we waren op de goede plaats. We hadden snoep en koekjes, een broek en een warme jas voor hem meegenomen (een vrouw die naast ons stond zei dat we hem de kleren niet zouden mogen geven). Ik droeg niet meer die oude baret over mijn hoofd getrokken, zoals plattelandsmeisjes doen, ik had versoepelende crème gekocht van de man die de boerderijen langs gaat en dingen verkoopt uit een doos op zijn fiets, en ik droeg mijn haar dik omhoog gekamd onder een gebloemde sjaal die niet over mijn goudkleurige oorringen heen zat. Zijn moeder had een deken om haar middel geknoopt, over haar jurk heen, een plattelandsvrouw, maar ik zag er niets minder goed uit dan al die stadsmeisjes daar. Toen de veerboot klaar was om ons mee te nemen, bleven we allemaal rustig en dicht tegen elkaar gedrukt staan, als vee dat staat te wachten tot je ze door het hek laat. Een man keek telkens in het rond en bewoog zijn kin op en neer. Hij telde de mensen, hij was zeker bang dat het er te veel waren om allemaal mee te kunnen en hij wilde niet achterblijven. We dromden allemaal in de richting van de politieman die toezicht hield en iedereen die voor ons was, ging de boot op. Maar toen wij aan de beurt waren en hij zijn hand uitstak, snapte ik niet wat hij wilde.

We hadden geen toestemming. We wisten niet dat je voor je naar Kaapstad gaat, voor je naar de veerboot naar het Eiland gaat, toestemming van de politie moet vragen om een gevangene op het Eiland te bezoeken. Ik probeerde het hem beleefd te vragen. De wind blies de stem uit mijn mond.

We werden teruggestuurd. De veerboot schommelde, botste tegen de steiger waar we op stonden en vertrok, opgetild en weer neergesmakt door al dat water. Hij werd kleiner en kleiner tot we niet meer wisten of we hem nog zagen of een van de vogels die daar op en neer dobberden en die zwart leken in de verte.

Het enige goede was dat een van de andere mensen de snoep en de koekjes voor hem meenam. Hij schreef om me te vertellen dat hij ze had gekregen. Maar het was geen fijne brief. Natuurlijk niet. Hij was boos op me. Ik had het moeten vragen, ik had het moeten weten van die toestemming. Hij had gelijk: ik had de treinkaartjes gekocht, ik had de weg gevraagd naar de veerboot, ik had het moeten weten van die vergunning. Ik heb niveau acht gehaald. Er was een adviesbureau in de stad waar je heen kon gaan, het werd geleid door mensen van de kerken, schreef hij. Maar de boerderij is erg ver van de stad en wij plattelandsmensen weten dat soort dingen niet. Het was waar wat hij zei: door onze onwetendheid houden ze ons eronder, die onwetendheid moet verdwijnen.

We namen de trein terug en zijn nooit op het Eiland geweest, we hebben hem daar nooit bezocht in de drie jaar dat hij er nog zat. Niet één keer. We konden het geld voor de trein niet bij elkaar krijgen. Zijn vader stierf en ik moest zijn moeder helpen met wat ik verdiende. Omdat ik geen geld had om voor onderwijzeres te studeren, kreeg ik nooit promotie en ook geen salarisverhoging. Voor onze mensen is het probleem altijd geld, schreef ik hem. Wanneer zullen we ooit geld hebben? Toen stuurde hij zo'n fijne brief. Hij schreef: daarom zit ik hier op het Eiland, ver weg van jou. Ik zit hier, opdat onze mensen op een dag de dingen zullen krijgen die ze nodig hebben: grond, voedsel, een eind aan de onwetendheid. Er stond nog iets anders – met moeite kon ik net het woord 'macht' lezen – dat de gevangenis met zwarte inkt had doorgestreept. Al zijn brieven waren niet alleen voor mij: de beambte in de gevangenis las ze voordat ik ze mocht lezen.

Nu kwam hij thuis, na maar vijf jaar!

Dat gevoel had ik toen ik het hoorde – die vijf jaren waren plotseling verdwenen – weg! We hoefden niet nog een heel jaar te wachten. Ik liet mijn – ons – dochtertje zijn foto weer zien. Dat is je pappie, hij komt naar huis, je zult hem gauw zien. Ze vertelde het aan de kinderen op school: ik heb een pappie – net zoals ze opschepte over het jonge geitje dat ze thuis had.

We wilden dat hij meteen zou komen en tegelijk hadden we tijd nodig om ons voor te bereiden. Zijn moeder woonde bij het gezin van een van zijn ooms. Nu zijn vader dood was, was er geen huis van zijn vader meer waar hij me mee naar toe kon nemen als we getrouwd waren. Als er tijd was geweest, zou mijn vader palen hebben gemaakt en zouden mijn moeder en ik stenen hebben gebakken en riet gesneden en een huis hebben gebouwd voor hem en mij en het kind.

We wisten niet precies op welke dag hij zou komen. We hoorden alleen zijn naam op de radio en de namen van nog een paar anderen die werden vrijgelaten. En toen zag ik in de winkel van de Indiër de krant *The Nation,* die door zwarte mensen wordt geschreven en op de voorkant stond een foto van een heleboel dansende en wuivende mensen. Ik zag meteen dat het bij de veerboot was. Een paar mannen werden op de schouders van andere mannen gedragen. Ik kon niet zien wie van hen hij was. We wachtten. De veerboot had hem van het Eiland gebracht, maar we herinnerden ons dat Kaapstad ver weg was. En toen kwam hij. Op een zaterdag, geen school dus ik was met mijn moeder aan het wieden en schoffelen rond de pompoenen en maïsplanten, met mijn haar in een oude doek geknoopt, omdat ik het netjes wilde houden. Er kwam een combi aanrijden over het veld. Zijn kameraden hadden hem gebracht. Ik wilde wegrennen om me te wassen, maar hij stond daar en strekte zijn benen en riep 'Hé! Hé!' en zijn kameraden maakten een heleboel lawaai om hem heen en mijn moeder begon op de traditionele manier 'Aie ! Aie!' te gillen en mijn vader liep klappend en stampend naar hem toe. Hij hield zijn armen voor ons open, die grote man in stadskleren en gepoetste schoenen, en al die tijd dat hij me omhelsde, hield ik mijn vieze handen die onder de modder zaten achter zijn rug een eindje van hem af. Zijn tanden raakten me hard door zijn lippen heen, hij greep naar mijn moeder en zij probeerde het kind naar hem op te tillen. Ik was bang dat we allemaal om zouden vallen! Toen werd iedereen rustig. Inkululeko verstopte zich achter mijn moeder. Hij tilde het kind op, maar ze draaide haar hoofd weg naar haar schouder. Hij praatte zachtjes tegen haar, maar ze wilde niets tegen hem zeggen. Ze is bijna zes! Ik zei tegen haar dat ze niet zo kinderachtig moest doen. Ze zei: dat is hem niet.

De kameraden begonnen allemaal te lachen, wij lachten, zij rende weg en hij zei: ze heeft tijd nodig om aan me te wennen. Hij is dikker geworden, ja… veel dikker. het was bijna niet te geloven. Vroeger was hij zo mager dat zijn voeten te groot voor hem leken. Toen kon ik zijn botten voelen, maar nu – die nacht – toen hij op me lag, was hij zo zwaar. In mijn herinnering was het niet zo. Het was zo lang geleden. Het is vreemd dat iemand sterker wordt in de gevangenis. Ik dacht dat hij er niet genoeg te eten zou krijgen en dat hij zwak zou zijn als hij eruit kwam. Iedereen zei: moet je hem zien! – hij is een man geworden. Hij lachte en sloeg met zijn vuist op zijn borst en vertelde dat de kameraden gymnastiek deden in hun cellen: hij had elke dag vijf kilometer gerend, door pas op de plaats te maken op de vloer van die kleine cel waar hij in zat opgesloten. Vroeger lagen we altijd een hele tijd te fluisteren nadat we 's nachts samen waren geweest, maar nu kan ik merken dat hij aan dingen denkt die ik niet weet en dan kan ik hem niet lastig vallen met mijn gepraat. Ik weet trouwens ook niet wat ik moet zeggen. Hem vragen hoe het was om daar vijf jaar lang opgesloten te zijn; of hem iets over de school vertellen of over het kind. Wat is er hier verder gebeurd? Niets. Alleen maar wachten. Overdag probeer ik hem soms te vertellen hoe het voor mij is geweest, hier thuis op de boerderij, vijf jaar lang. Hij luistert. Het interesseert hem, zoals het hem ook interesseert als er mensen van andere boerderijen op bezoek komen om met hem te praten over de kleine dingen die hier zijn gebeurd, toen hij al die tijd op het Eiland zat. Hij glimlacht en knikt, vraagt een paar dingen en dan staat hij op en rekt zich uit. Ik zie dat hij dat doet om ze te laten merken dat het genoeg is, dat zijn gedachten teruggaan naar iets waar ze mee bezig waren voor ze kwamen. Wij plattelandsmensen zijn nu eenmaal erg langzaam, we vertellen dingen langzaam, dat deed hij vroeger zelf ook.

Hij heeft geen contract getekend voor een nieuwe baan. Maar hij kan ook niet bij ons thuis blijven. We hadden gedacht dat hij na vijf jaar daarginds midden in die groene en blauwe zee, zo ver weg, wel een tijdje bij ons zou uitrusten. De combi of een andere auto komt hem ophalen en dan zegt hij: maak je niet ongerust. Ik weet niet op welke dag ik terugkom. Eerst vroeg ik hem: welke week dan? Volgende week? Hij probeerde het me uit te leggen. Bij de Beweging is het niet zoals bij de vakbond, waar je elke dag je werk doet en daarna bezig bent met vergaderingen. Bij de Beweging weet je nooit waar je naar toe zal moeten en wat er nu weer zal gebeuren. En met geld is het precies hetzelfde. Bij de Beweging is het niet zo dat je een baan hebt en geregeld loon krijgt – dat weet ik al, dat hoeft hij me niet te vertellen – het is hetzelfde als wanneer je naar het Eiland gaat, je doet het voor al onze mensen die lijden omdat we geen geld hebben, omdat we geen land hebben. Kijk hoe het hier is, zei hij, en hij had het over de plaats waar wij wonen, mijn ouders, ik, waar we op hem hebben gewacht, met zijn kind. Kijk hoe het hier is, waar de blanke al het land bezit en jullie alleen maar in je hutjes van leem en golfplaat mogen wonen zolang jullie voor hem werken. *Baba* en je broer die op het land werken en zijn vee verzorgen, de moeder die zijn huis schoonmaakt en jij op het schooltje, terwijl je niet eens de kans krijgt om een behoorlijke opleiding te volgen en een onderwijsakte te halen. We zijn het bezit van de Boer, zegt hij.

Ik dacht altijd dat we geen eigen thuis hebben omdat er geen tijd was om een huis te bouwen voor hij van het Eiland kwam, maar we hebben helemaal geen thuis. Dat begrijp ik nu.

Ik ben niet dom. Als de kameraden met de combi hierheen komen om te praten, dan ga ik niet weg met mijn moeder nadat we hun thee of bier hebben gebracht (als ze dat voor het weekend heeft gebrouwen). Ze vinden haar bier lekker, ze praten over onze cultuur en er is er eentje bij die altijd zijn arm om mijn moeder heen slaat en zegt dat zij de mama van hun allemaal is, de mama van Afrika. Soms doen ze haar een groot plezier door haar te vertellen hoe ze altijd zongen op het Eiland en haar te vragen een oud lied te zingen, dat we van onze grootmoeders hebben geleerd. Dan zingen ze mee met hun sterke stemmen. Mijn vader vindt het niet prettig als dat lawaai over het veld klinkt, hij is bang dat de Boer zal zeggen dat hij en zijn gezin weg moeten, als hij hoort dat mijn man als politieke gevangene op het Eiland heeft gezeten en bijeenkomsten houdt op zijn land. Mijn broer zegt: als de Boer iets vraagt, dan zeg je maar dat het een gebedsbijeenkomst is. Dan is het zingen voorbij en mijn moeder weet dat ze nu naar binnen moet gaan.

Ik blijf luisteren. Hij vergeet dat ik erbij ben als hij ergens over praat en redeneert. Ik weet dat het over iets belangrijks gaat, belangrijker dan alles wat we ooit tegen elkaar zouden kunnen zeggen als we alleen zijn. Maar nu en dan, als een van de andere kameraden aan het woord is, merk ik dat hij even naar me kijkt, zoals ik soms op school naar een kind kijk dat ik graag mag, om het aan te moedigen te begrijpen wat ik zeg. De mannen praten niet tegen mij en ik zeg ook niets. Een van de dingen waar ze over praten is dat de mensen op de boerderijen – landarbeiders zoals mijn vader en mijn broer en zijn ouders vroeger – dat die zich moeten organiseren. Ik leer wat al die dingen betekenen: minimumloon, minder werkuren, het recht om te staken, het recht op vakantie, schadevergoeding bij ongelukken, pensioen, ziekteverlof, zelfs zwangerschapsverlof. Ik ben zwanger, eindelijk draag ik een tweede kind bij me, maar dat zijn vrouwenzaken. Als ze over de Grote man en de Oude Mannen praten, dan weet ik wie dat zijn: onze leiders zijn ook uit de gevangenis teruggekomen. Ik heb hem verteld dat er een kind komt. Hij zei: en dit kind zal in een nieuw land wonen, het zal de vrijheid opbouwen die wij hebben bevochten! Ik weet dat hij wil trouwen, maar daar is op het ogenblik geen tijd voor. Hij heeft nauwelijks tijd gehad om het kind te maken. Hij komt bij me slapen zoals hij nu en dan thuiskomt om te eten of schone kleren aan te trekken. Hij tilt het kleintje op en zwaait haar in de lucht en ziezo! – het is weer voorbij, hij stapt alweer in de combi, hij draait zich alweer naar zijn kameraad met dat gezicht dat alleen maar weet heeft van wat er in zijn hoofd omgaat, die ogen die heen en weer schieten alsof hij iets najaagt dat jij niet kunt zien. Het kleintje heeft geen tijd gehad om aan deze man te wennen. Maar ik weet dat ze op een dag trots op hem zal zijn!

Hoe kan je dat aan een kind van zes uitleggen? Maar ik vertel haar over de Grote Man en de Oude Mannen, onze leiders, zodat ze weet dat haar vader met hen op het Eiland is geweest en dat hij ook een groot man is.

Op zaterdag is er geen school en ik help mijn moeder met planten en wieden. Zij zingt, maar ik niet, ik denk na. Op zondag wordt er niet gewerkt, dan zijn er alleen gebedsbijeenkomsten ergens onder de bomen, waar de Boer er geen last van heeft, en er wordt bier gedronken voor de hutten van leem en golfplaat, waar we tijdelijk van de Boer mogen wonen, op zijn land. Ik ga in mijn eentje weg, zoals ik als kind altijd deed. Dan verzon ik spelletjes en praatte tegen mezelf, ergens waar niemand me kon horen of me zou zoeken. Ik zit laat in de middag op een warme steen, hoog op de heuvel, en het hele dal is een pad tussen de heuvels, dat vanaf mijn voeten naar de verte loopt. Het is het land van de Boer, maar dat is niet waar: het is van niemand. De koeien weten niet dat iemand zegt dat het van hem is, de schapen – het zijn net grijze stenen en dan veranderen ze in een dikke grijze slang die zich voortbeweegt – die weten het ook niet. Onze hutten en de oude moerbeiboom en het bruine lapje grond dat mijn moeder gisteren heeft omgespit, daar in de laagte, en een stukje verderop het groepje bomen rond de schoorstenen en dat glimmende ding, de televisie-antenne van de boerderij – al die dingen zijn niets op de rug van deze aarde. Die zou ze zo kunnen afschudden, zoals een hond een vlieg.

Ik zit hier hoog in de lucht, met de wolken. De zon achter me verandert de kleuren van de lucht en de wolken veranderen van vorm, langzaam, langzaam. Sommige zijn roze en andere zijn wit, dik en rond als ballonnen. Daaronder is een grijze wolk, niet groot genoeg om regen te brengen. Hij wordt langer en donkerder, hij krijgt een smalle snuit en een lang lijf en het andere eind is een staart. Er beweegt zich een grote grijze rat door de lucht, die de lucht opeet.

Het kind herinnerde zich de foto. Dat is hem niet, zei ze. Ik zit op de plek waar ik vaak kwam toen hij op het Eiland zat. Ik kwam hier altijd om alleen te zijn, weg van de anderen, om in mijn eentje te wachten.

Ik kijk naar de rat. Hij verliest zichzelf, zijn vorm, terwijl hij de lucht opeet en ik wacht. Ik wacht tot hij terugkomt.

Wacht.

Ik wacht tot ik een eigen huis heb om heen te gaan.

INHOUD

• • •